세 왕 이야기

A Tale of Three Kings

깨어진 마음으로의 순례

세 왕 이야기

A Tale of Three Kings

진 에드워드 지음 | 허 령 옮김

예수전도단

추천의 글

진 에드워드가 쓴 "세 왕 이야기"는 깨어짐의 축복에 관한 글입니다. 저는 이 책을 손에 잡은 후에 내려 놓을 수가 없었습니다. 마치 깨어짐을 통과하면서 겪었던 나의 이야기를 읽고 있는 것 같은 느낌 때문이었습니다. 아직도 내 안에 살아 꿈틀거리는 질투심으로 가득 찬 사울 왕과 반역을 도모하는 압살롬을 만났기 때문입니다. 그리고 나를 깨뜨려 변화시키시는 다윗의 하나님을 만났기 때문입니다.

이 책을 읽으면서 나의 내면의 순수치 못한 동기가 노출되었고, 깨어져야 할 겉사람의 모습을 보았습니다. 하나님은 토기장이요, 우리는 토기입니다. 하나님은 그가 소중하게 사용할 사람들을 깨뜨리십니다. 그 사람에게서 하나님의 모습이 드러날 때까지, 하나님의 마음을 그 속에서 발견할 때까지 깨뜨리십니다.

진 에드워드는 이 책에서 하나님이 세운 학교를 소개하고 있습니다. 그 학교는 순종과 깨어짐을 배우는 신성한 학교입니다. 사울 왕은 이 학교에 입학해 본 경험이 없이 왕이 되었기에 중도에 탈락하고 말았습니다. 반역을 도모했던 압살롬도 마찬가지입니다. 그러나 다윗 왕은 이 학교에 입학해서, 철저하게 훈련을 받았기에, 하나님의 마음에 합한 사람이 된 것입니다.

다윗은 미치광이 같은 사울 왕의 추적을 받으면서 깨어졌습니다. 반역의 사람, 사랑했던 아들 압살롬을 통해 더욱 깊이 깨어졌습니다. 그는 어두운 굴 속에서 고통을 친구로 삼는 것을 배웠습니다. 다윗은 깨어짐의 학교에서 원수에게 저항하지 않는 것을 배웠습니다. 말하는 것보다 침묵하는 것을 배웠습니다. 보복하지 않는 온유함을 배웠습니다.

다윗은 깨달음의 학교에서 하나님의 때를 기다리는 것을 배웠습니다. 이기는 것보다 지는 것을 배웠습니다. 붙잡는 것보다는 주는 것을 배웠습니다. 권위를 주장하기보다는 섬기는 것을 배웠습니다. 외적인 능력보다 내적인 성장을 추구하는 것을 배웠습니다. 내면의 풍성한 생명을 추구하는 원리를 터득했습니다.

제가 이 책을 당신에게 추천하는 이유는 간결한

문체와 재미있는 이야기 속에 담은 깊은 진리 때문입니다. 이 책은 어린아이도 읽을 수 있는 쉬운 언어로 씌어졌습니다. 그러나 그 언어 속에 담긴 진리는 아주 깊은 지혜의 샘물과 같습니다. 저는 이 책이 조국에 번역·출판된 이후로 수많은 독자들의 사랑을 받아왔음을 알고 있습니다.

이 책은 작고 평범하게 생겼지만 깊은 진리를 담은 비범한 책입니다. 하나님 앞에 귀하게 쓰임받기 위해 준비하고 있는 젊은이들에게 이 책을 전해 주십시오. 평신도 사역자, 선교사, 신학생, 목회자들에게 이 책을 전해 주십시오. 이 시대를 이끌어 가기 위해 준비하고 있는 차세대의 지도자들에게 이 책을 전해 주십시오. 그리고 이 책은 무엇보다도 당신을 위한 책임을 기억하십시오. 그 이유는 하나님이 당신을 이 시대의 다윗처럼 귀하게 쓰기를 원하시기 때문입니다.

강준민 목사
「뿌리깊은 영성」의 저자
LA 동양선교교회 담임목사

권위주의적인 조직 안에서 마음의 상처를 받아 위로와 치유와 소망을 찾는 그리스도인들에게….

부디 회복되어 자유이신 그분과 계속 걸어가게 되기를 바랍니다.

또한 그리스도의 몸 안에서 잘못된 교제로 인해 마음이 찢기는 분열을 경험했거나, 현재 그런 상황에 처한 그리스도인들에게….

이 이야기가 여러분에게 빛과 명쾌함과 위로가 되었으면 합니다. 그대들도 부디 회복되어 평화이신 그분과 계속 걸어가기를 바랍니다.

어떤 상황에 있든지 완전히 치유받아 우리 삶의 전부이신 그분의 부르심에 합당하게 서게 되기를 원합니다.

저자 서문

몇 년 전부터 많은 복음주의 조직들 안에 유행하고 있는 권위주의적 움직임 때문에 상처입은 신자들로부터 받는 편지가 늘기 시작했습니다. 복음주의 기독교 사역자로서 30년이 넘는 기간 동안 사역해온 나는 그렇게 많은 신자들이 그렇게 깊은 상처를 받은 것을 본 적이 없습니다. 파괴는 세계적이며 그것으로부터의 회복은 거의 불가능한 것처럼 보입니다.

이 책은 본래 권위주의적 움직임에 의해 상처입은 소수의 독자를 위해 씌어졌습니다. 그러나 훨씬 더 넓은 부류의 독자들이 이 책을 읽게 되었던 것입니다. 그들은 교회의 분열에 의해 상처받은 그리스도인들과 신자들 간의 알력을 경험한 그리스도인들이었습니다.

나는 이 책이 전세계적으로 환영을 받는 것을 보고 놀랐습니다. 이 책을 대량으로 주문하여 자신의 교인들에게 나누어 준 목사님들과 사역자들이 많이 있었습니다. 뿐만 아니라 이 이야기가 극으로 공연

되고 강단에서 언급되었다는 것은 나에게 놀라움을 더해주었습니다. 나는 이 책이 어떤 작은 방법으로라도 이 필요를 채워주는 데 사용되기를 기대합니다.

친애하는 독자들이여, 그러나 이 책이 절대로 의도되어서는 안 되는 점이 하나 있습니다. 여러분이 어떻게 보든 이 책은 당신이 대항하는 사람들을 향해 더 공격하기 위한 추가적인 대포알이 되어서는 안 되는 것입니다. 여러분에게 부탁하는 것은 그런 케케묵은 야비한 방법을 버리라는 것입니다. 이 책은 개인적인 치료와 은밀한 피난처가 되기 위해 씌어졌습니다.

마지막으로 「세 왕 이야기」와 짝이 되는 「상처받은 그리스도인에게 보내는 편지」(Letters to a Devastated Christian)라는 제목의 책이 있습니다. 이 책은 특별히 다른 그리스도인의 행동에 의해 좌절된 그리스도인에게 실제적 조언을 주려고 집필한 것입니다. 나는 이 두 책이, 소망의 소리를 들려줄 것을 믿습니다. 그 소리가 어느 때보다 멀리 들리고 있다 하더라도….

진 에드워드

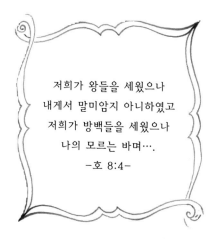

저희가 왕들을 세웠으나
내게서 말미암지 아니하였고
저희가 방백들을 세웠으나
나의 모르는 바며….

-호 8:4-

차례

추천의 글
저자 서문

프롤로그
1막 사울과 다윗 이야기
1장 목동 다윗, 기름 부음을 받다

2장 한 미친 왕의 성에서…

3장 떠남, 긴 겨울 속으로

4장 사울 VS 다윗

2막 다윗과 압살롬 이야기
5장 야망이 태동하다

6장 압살롬 VS 다윗

7장 광야의 깨어진 마음

8장 반역, 그리고 또 다른 떠남

친애하는 여러분, 이 모임에 참석해 주셔서 감사드리며, 서둘러 공연장에 들어가는 것이 좋겠습니다. 벌써 불이 꺼진 걸 봤거든요.

저기 무대에서 얼마 떨어지지 않은 곳에 우리를 위해 좌석이 마련되어 있습니다. 자, 빨리 가서 앉지요. 저는 이 이야기가 한 편의 연극이라고 생각합니다. 그러나 확신하는 바, 슬프진 않을 겁니다.

이 연극은 2막 8장으로 되어 있습니다. 1막에서, 우린 '사울'이라 불리는 늙은 왕과 '다윗'이라 불리는 젊은 목동을 만나게 될 것입니다. 그리고 2막에서 우린 다시 늙은 왕과 젊은이를 만나게 되는데, 이번엔 늙은 왕이 다윗이고, 젊은이는 '압살롬'이라는 인물입니다.

아, 막이 올라가네요. 배우들도 보이고요. 이제 이야기가 시작되나 봅니다.

프롤로그

하나님이 가브리엘에게 말씀하셨다.

"가서 내 존재의 두 부분을 취하라. 두 운명이 기다리고 있을 것이다. 그들 각각에게 그것들을 하나씩 나눠 주어라."

강렬하게 고동치는 삶의 두 빛을 가지고, 가브리엘은 문을 열고 사라졌다.

아직 태어나지 않은 두 운명의 방.

"나는 여기에 하나님의 존재의 두 부분을 가지고 있다. 첫 번째는 하나님의 본성에 가장 가까운 옷이다. 너희를 감쌀 때, 이것은 너희를 하나님의 큰 숨결로 옷 입힐 것이니, 마치 물이 바다를 감싸는 것처럼, 그의 숨결이 너희를 감쌀 것이다. 이것, 너희를 옷 입힌 이 숨결과 함께 너희는 군대를 다스리고, 하나님의 적을 모욕하며, 이름을 떨치게 될 것이다. 여기 선물로 하나님의 능력이 있다."

한 운명이 앞으로 나왔다.

"이 부분은 제 것이라 믿습니다."

"좋다. 그리고 기억하거라. 이 부분을 받은 사람은 분명히 많은 사람들에게 알려질 것이다. 너의 삶이 다하기 전에, 이 힘의 방법들로 너의 본성은 알려질 것이며, 실로 드러날 것이다. 이것이 이 존재를 입고, 이 존재를 행사하는 모든 이의 운명이다. 이 운명은 오직 겉사람만을 만지며, 속사람에게는 영향을 주지 않기 때문이다. 그러므로 겉으로 나타나는 힘은 항상 그 내부의 근원과 결핍을 드러낼 것이다."

첫 번째 운명은 하나님의 한 부분을 받고 뒤로 물러났다. 다시 천사가 말했다. "여기 살아 계신 하나님의 두 번째 존재가 있다. 이것은 선물이 아니라 유산이다. 선물은 겉사람을 옷 입히는 반면, 유산은 씨처럼 속 안에 깊이 뿌리를 내린다. 비록 이것은 매우 작은 파종이지만, 이 파종은 자라나 이윽고 모든 속사람을 채우게 될 것이다.

또 다른 운명이 앞으로 나왔다.

"이것은 제 것입니다."

"그렇다. 너에게 주어진 것은 영광스러운 것이라는 사실을 기억해라. 인간의 마음을 변화시키는 우주 안에서 유일한 요소…. 이것은 하나님의 가장 기본이 되는 요소이지만, 이것이 잘 섞이기 전에는, 그의 일을 이룰 수도, 자랄 수도, 그리고 네 속사람의 모든 부분을 채울 수도 없다. 이것은 고통과 슬픔, 그리고 좌절과 잘 섞여야만 한다."

두 번째 운명은 뒤로 물러났다.

천사 리코더는 가브리엘에게 물었다.

"이 운명들이 현세로 가는 저 문을 통과하면 무엇이 되겠습니까?"

가브리엘이 부드럽게 대답했다.

"그 둘은 그들의 시대에 왕이 될 것입니다."

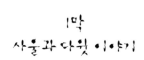

1막
사울과 다윗 이야기

1장 목동 다윗, 기름 부음을 받다

2장 한 미친 왕의 성에서…

3장 떠남, 긴 겨울 속으로

4장 사울 VS 다윗

여호와는 나의 목자시니

내가 부족함이 없으리로다

그가 나를 푸른 초장에 누이시며

쉴 만한 물가으로 인도하시는도다

내 영혼을 소생시키시고

자기 이름을 위하여

의의 길로 인도하시는도다

내가 사망의 음침한 골짜기로 다닐지라도

해를 두려워하지 않을 것은

주께서 나와 함께하심이라

주의 지팡이와 막대기가 나를 안위하시나이다

주께서 내 원수의 목전에서 내게 상을 베푸시고

기름으로 내 머리에 바르셨으니

내 잔이 넘치나이다

나의 평생에 선하심과 인자하심이

정녕 나를 따르리니

내가 여호와의 집에 영원히 거하리로다

- 시편 23:1-6

I
목동 다윗, 기름 부음을 받다

어느 집이든 막내아들에게는 두 가지 특징이 있습니다. 철이 없으며 별로 아는 것이 없다는 것입니다. 대개 막내에게는 그다지 기대를 걸지도 않습니다. 따라서 그 집의 어느 아이보다도 지도자의 자질을 갖지 못하게 마련입니다. 집안에서 지도력을 발휘해볼 기회가 없기 때문에 이끌지는 못하고 그저 따를 뿐입니다.

이것은 오늘날에도 그렇고, 또한 3,000년 전 베들레헴이라는 작은 마을, 여덟 명의 아들을 둔 한 가족에게도 그러하였습니다. 이새의 아들 중 위로부터 일곱은 아버지의 농장 근처에서 일하였습니다. 그러나 막내아들은 그들의 얼마 안 되는 양떼를 치기 위해 산으로 보내지곤 하였습니다.

들로 나갈 때면 이 막내아들은 두 가지 물건을

항상 지니고 다녔습니다. 돌팔매 하나와 기타같이 보이는 조그만 악기였습니다.

비옥한 산등성이의 한적한 들판에서는 양들이 며칠씩이고 풀을 뜯기 때문에 양치기에게는 얼마든지 시간이 있었습니다. 그러나 시간이 지나고 날이 감에 따라, 이 젊은이는 아주 외로워집니다. 그의 내면에 항상 맴돌고 있는 고독감이 점점 커져갔습니다. 종종 울기도 하고, 오랫동안 하프를 타보기도 하였습니다. 좋은 목청으로 자주 노래도 불렀습니다.

그러나 이런 일들이 더 이상 위로가 되지 않을 때에는, 화라도 난 듯 돌멩이를 쌓아 놓고 멀리 있는 나무를 향해 하나씩 던지곤 하였습니다.

돌무더기 하나가 다 없어지면, 상처가 난 나무로 가서, 돌멩이를 다시 모아 좀더 먼 곳에 있는 또 다른 나무를 정합니다. 그는 이러한 외로운 전투를 계속하였습니다.

뛰어난 돌팔매꾼이자 가수이기도 한 이 목동은 또한 하나님을 사랑하였습니다. 모든 양들이 잠든 밤이면, 그는 꺼져가는 불을 보며 하프를 가지고 자신만의 독주회를 시작합니다. 선조들의 믿음을 노래하는 옛 찬송들을 부릅니다.

노래를 하며, 흐느끼고 또 흐느끼면서 온 마음을 다해 찬양을 하기 시작합니다. 먼 곳의 산들이 그의 찬양과 울음소리를 더욱 높은 산으로 건네주며, 그곳에서 하나님의 귀에 들릴 때까지 찬양은 계속되었습니다.

찬양하지도 울지도 않을 때에는, 양을 한 마리씩 보살펴 줍니다. 양떼 때문에 바쁘지 않을 때에는, 친구와도 같은 돌팔매를 휘두르면서 돌멩이 하나하나가 정확하게 어디로 가는지를 알 때까지 던졌습니다.

어느 날, 심장이 터지도록 하나님과 천사들과 지나가는 구름에게 노래를 부르고 있을 때에 정말 살아 있는 적을 만나게 되었습니다. 큰 곰이었습니다. 그는 돌진하였습니다. 그 둘은 하나의 동일한 작은 목표물을 향해 맹렬하게 달려가고 있었습니다. 그 목표물은 비옥한 초록색 들판에서 풀을 뜯고 있는 한 마리의 양이었습니다. 이 젊은이와 곰은 중간쯤에서 멈추어 선 채 서로를 주시하며

빙빙 돌기 시작했습니다. 본능적으로 돌멩이를 찾아 주머니를 뒤지던 이 젊은이는 뭔가 새롭게 느껴지는 것이 있었습니다.

"이상한데, 하나도 겁나지가 않아."

마침내 힘이 세고 다리에 털이 많은, 고동색 물체가 미친 듯이 번개와도 같이 거품을 뿜어대며 그를 향해 달려오기 시작했습니다. 패기 넘치는 젊음의 힘으로 그가 가죽에 돌멩이를 대자, 시냇물에서 곱게 닳은 조약돌이 그 달려오는 물체를 향해 소리를 내며 공중으로 날아갔습니다.

잠시 후, 이제는 어리지 않은, 그 젊은이가 작은 암양을 들어 안으며 말했습니다.

"나는 너의 목자이고, 하나님은 나의 목자시구나."

그래서 그는 밤이 깊도록, 그날의 모험을 노래로 엮었습니다. 그리고 귀가 있는 모든 천사들이 그 곡조와 가사를 다 기억할 때까지 하늘을 향해 부르고 또 불렀습니다. 그러자 그 천사들은 이 놀라운 노래를 맡아 간수하며, 모든 세대에 올 마음이 상한 자들에게, 치료하는 향유로 이 노래를 전해 주었습니다.

멀리서부터 그를 향해 달려오는 사람이 있었습니다. 점점 다가오자 그의 형인 것을 알게 되었습니다.

"빨리 뛰어가!"

형이 외쳤습니다.

"있는 힘을 다해서 뛰어, 양떼는 내가 봐 줄게."

"왜요?"

"어떤 나이 드신, 현인이 오셨어. 이새의 여덟 아들을 만나려고 오셨는데, 너를 제외하고는 다 보셨어."

"하지만, 왜요?"

"뛰어 가!"

다윗*은 뛰었습니다. 집에 도착한 그는 숨을 돌

---

* 다윗: 유다 지파 사람인 이새의 막내아들로 베들레헴에서 태어남. 왕으로 기름 부음을 받고 훗날 이스라엘의 2대 왕위에 오르게 되지만 그의 인생은 너무도 파란만장했다. 지도력과 온유함을 겸비했으며, 겸손하고 순복하는 삶을 통해 하나님의 마음에 합한 자라는 칭호를 얻음.

리기 위해 한참을 서 있어야 했습니다.

그가 집으로 걸어 들어왔을 때에는, 햇빛에 그을린 뺨 위로 땀방울이 비오듯 흘러 내렸고, 가쁜 숨으로 인해 상기된 얼굴은 그의 붉은 곱슬머리와 잘 어울렸습니다. 그는 시야에 들어오는 모든 것을 주의깊게 관찰하였습니다.

이새의 막내 아들이 서 있는 모습은 크고 건장하였습니다. 그러나 호기심에 가득 찬 노인의 눈에는 그 방안의 다른 어떤 사람이 보는 것보다 더 크고 건장하게 보였습니다.

가족들은 그를 늘 가까이에서 대하였으므로 그가 성인이 된 것을 몰랐습니다. 그러나 노인은 보았습니다. 한 사람의 건장한 청년이 서 있는 것을…. 그리고 그 이상의 것을 보았습니다. 이 노인만은 하나님이 아신 어떤 것을 알 수 있었던 것입니다.

하나님은 아주 특별한 사람을 찾아 온 나라를 집집마다 탐색하셨습니다.

그 결과 가죽같이 든든한 목청을 가진 이 시인을 발견하신 것입니다. 그는 신성한 이스라엘 땅

위의 어떤 사람보다도 더욱 순결한 마음으로 하나님을 사랑하는 사람이었습니다.

"무릎을 꿇으라."

회색의 긴 수염을 가진 노인이 말하였습니다. 그런 자세를 해본 적이 없었으나 제법 왕 같은 당당함으로 무릎을 꿇자, 자신의 머리 위로 기름이 부어지는 것을 느꼈습니다.

그의 마음 한 구석에서 "어릴 적에 배운 것"이 떠올랐습니다.

"이것은 왕을 임명할 때 하는 것이다! 그렇다면 사무엘* 선지가 내게 하는 것은… 무엇이라고?"

그 히브리 말은 오해할래야 할 수 없는 말이었습니다. 어린아이도 알 수 있는 것이었으니까요.

"볼지어다. 하나님의 기름 부음 받은 자를!"

그날은 그 젊은이에게는 굉장한 날이었습니다. 당신이라도 그렇게 말하지 않겠습니까? 하지만 이

---

* 사무엘: 이스라엘의 마지막 사사. 하나님의 명령을 받아 이스라엘의 초대 왕으로 사울에게 기름을 부었으며, 후에는 다윗에게 기름을 부었다. 사사는 왕이 세워지기 전에 이스라엘을 지도한 정치·군사적 지도자이다.

런 엄청난 사건이 이 젊은이를 바로 왕위로 인도한 것이 아니라, 10년간의 지옥같은 고통과 괴로움의 날들로 이끌었다면, 얼마나 기이하게 여기시겠습니까?

그날은 다윗이 왕의 서열이 아니라, 바로 깨어짐의 학교에 입학한 날이 된 것입니다.

사무엘은 집으로 돌아갔고 이새의 여러 아들들은 전쟁터로 나갔습니다.

그러나 전쟁에 나가기에는 아직 어린 막내는 아버지의 집에서 승격하게 되었습니다 – 양치기에서 부엌 심부름꾼으로.

그의 새 업무는 전방에 있는 형들에게 음식을 가져다 주는 것이었습니다. 그는 규칙적으로 그 일을 했습니다.

어느 날 그렇게 전방에 가게 되었을 때, 그는 양들을 지킬 때와 똑같은 방법으로 곰을 또 한 마리 죽였습니다.

그러나 이 곰은 9척의 사람이었습니다. 이 특별난 공적으로, 젊은 다윗은 뭇사람의 영웅이 되었습니다.

마침내 다윗은 한 미친 왕의 성 안에 살게 되었습니다. 그리고 그 왕만큼이나 온전치 못한 상황들 속에서, 다윗은 그에게 꼭 필요한 많은 것들을 배우게 되었습니다.

내가 여호와께 피하였거늘

너희가 내 영혼더러 새같이

네 산으로 도망하라 함은 어찜인고

악인이 활을 당기고 살을 시위에 먹임이여

마음이 바른 자를 어두운 데서 쏘려 하는도다

터가 무너지면 의인이 무엇을 할꼬

여호와께서 그 성전에 계시니

여호와의 보좌는 하늘에 있음이여

그 눈이 인생을 통촉하시고

그 안목이 저희를 감찰하시도다

-시편 11:1-4

2
한 미친 왕의 성에서…

다윗은 그 미친 왕에게 노래를 불러 주었습니다. 자주 그렇게 하였습니다. 음악은 그 왕에게 큰 위로가 되었습니다. 적어도 그렇게 보였습니다. 그리고 다윗이 노래를 부를 때면 성 안의 모든 사람들은 왕궁 복도에 서서, 왕실을 향해 귀를 기울여 그의 노래를 들었습니다. 그들은 이 젊은이가 그런 훌륭한 곡조와 가사를 만들게 된 것을 놀랍게 여겼습니다.

모든 사람들이 가장 좋아하는 노래는 작은 양으로부터 배운 그 노래였습니다. 천사들과 마찬가지로 그들은 그 노래를 구절마다 사랑하였습니다.

그럼에도 불구하고 왕은 미쳐 있었기 때문에 다윗을 시기하였습니다. 아니면 그 반대였든지….

어쨌든, 왕들이 그 밑에 인기 있고 전도 유망한

젊은이가 있을 때 흔히 그러하듯, 그 왕도 다윗으로부터 위협을 느꼈습니다. 또한 다윗이 알고 있었듯이, 그 왕도 언젠가는 이 젊은이가 자신의 자리를 차지하게 될 것이라는 사실을 알고 있었습니다.

그러나 다윗이 정당한 방법으로 왕위에 오를지, 아니면 비열한 방법으로 할 것인지, 사울*은 그것을 몰랐고, 바로 그것이 왕을 미치게 하는 일 중의 하나였습니다.

다윗은 아주 불편한 상황에 놓이게 되었습니다. 그럼에도 불구하고, 그는 자신에게 아직 전개되지 않은 이 드라마를 깊이 이해하고 있는 듯 하였습니다. 그 당시의 최고의 현인이라 할지라도 이해하기 힘든 것들을. 지금 우리의 때, 사람들이 훨씬 똑똑해진 이때라면, 더욱 이해할 수 없는 그런 것들을….

그러면 그것이 무엇일까요?

---

* 사울: 이스라엘 최초의 왕. 유력한 가정의 출신으로 잘생기고 훤칠한 용모를 갖춤. 40년간 이스라엘의 왕으로 통치하였지만, 결국에는 불순종과 교만으로 인해 비참한 말로를 맞이한다.

고통을 통과한 사람들. 하나님께서 그렇게 찾으셨지만 찾을 수 없었던 그런 종류의 사람들이었습니다.

하나님은 깨어진 그릇을 원하셨던 것입니다.

미친 왕은 다윗을 자신의 왕국을 위협하는 존재로 보았습니다. 그 왕이 이해하지 못한 것은 한 나라가 어떤 위험을 겪을 것인가에 대해서 하나님이 결정하시도록 해야 한다는 사실이었습니다. 그것을 모른 채, 사울은 모든 미친 왕들이 할 수 있는 일들을 하였습니다.

그는 다윗에게 창을 던졌습니다. 그럴 수 있었습니다. 그는 왕이었으니까요. 왕은 그런 일을 할 수 있습니다. 왕들은 거의 다 그렇지요. 그들은 창을 던질 권리를 주장합니다. 모든 사람들도 그들이 그런 권리를 가지고 있음을 압니다. 그들은 너무도 잘 알고 있습니다. 어떻게 아느냐고요? 그것은 왕이 그들에게 그렇다고 말해 주었기 때문이지요-아주, 아주 여러 번.

하나님께서 기름 부으셨다 하더라도 이런 미친 왕이 진정한 왕일 수 있을까요?

당신의 왕은 어떻습니까? 하나님의 기름 부으신 자입니까? 아마 그럴 수 있겠지요. 그러나 그렇지 않을 수도 있습니다. 아무도 확실하게는 모릅니다. 사람들은 다 분명하다고 합니다. 확신한다고까지 말하지요. 그러나 그렇지 않습니다. 그들은 알지 못합니다. 하나님만이 아시지요. 그러나 그분은 말씀하시지 않을 것입니다.

만약 당신의 왕이 진정한 하나님의 기름 부으신 자이지만, 그 역시 창을 던진다면 당신이 확신할 수 있는 사실이 몇 가지 있습니다.

당신의 왕은 굉장히 미쳤다는 것을. 그리고 그는 사울 왕의 반열에 서 있다는 것을….

하나님은 학교를 하나 가지고 계십니다. 그것은 작은 학교이지요. 적은 수의 사람이 입학해서 더 적은 수가 졸업을 합니다. 사실 아주 적은 수의 사람들입니다.

하나님이 이 학교를 가지고 계신 이유는 그분께는 깨어진 사람들이 없기 때문입니다. 그 깨어진 사람 대신 몇몇 다른 종류의 사람들이 있을 뿐입니다. 하나님이 주신 권위를 가진 자라고 주장하지만 그렇지 않은 사람들, 깨어진 사람들이라고 부르짖지만 그렇지 않은 사람들. 그런가 하면 하나님께로부터 권위를 받기는 했으나 미쳐 있거나, 깨어지지 않은 사람들. 그리고 유감스럽게도 하나님 보시기에 이 모든 것들을 요란하게 섞은 잡동사니의 사람들도 있습니다. 그분은 이런 모든 사람들은 넘치도록 가지셨으나, 깨어진 사람은 거의 없으신 것입니다.

순종과 깨어짐을 배우는 이 신성한 학교에는 왜 그렇게 학생들이 적을까요? 그것은 이 학교에 있는 모든 사람들이 겪어야 할 많은 고통 때문입니다. 그리고 당신이 추측한 대로, 종종 고통을 안겨 주는 깨어지지 않은 지도자들―그들은 하나님께서 주권적으로 선택하셨지요―때문이기도 합니다.

다윗은 한때 이 학교의 학생이었고, 사울은 다윗을 깨뜨리기 위해 하나님이 선택하신 방법이었습니다.

왕이 점점 더 미쳐감에 따라, 다윗은 더 깊이 이해하게 되었습니다. 그는 진정한 권위 아래, 하나님께서 자신을 그 왕의 궁전에 있게 하셨음을 알게 되었습니다.

사울 왕의 권위가 진정한 것이라고요? 그렇습니다. 하나님에 의해 선택된 권위이지요. 그렇지만 다윗을 위해 선택된 깨어지지 않은 권위입니다. 그러나 그럼에도 불구하고 그 기름 부음에 있어서는 신성한 것입니다. 그렇습니다. 그런 일은 가능한 것이지요.

다윗은 숨을 들여마시고, 그의 미치광이 왕 밑으로 들어가 지옥과도 같은 그 길로 더 깊이 나아갔습니다.

다윗에게는 의문이 하나 있었습니다. 누가 당신에게 창을 던진다면 당신은 어떻게 하겠습니까?

여러분은 다윗이 이 질문의 답을 몰랐다는 것이 이상하지 않습니까? 이 세상의 모든 사람들은 창이 그들에게 던져질 때 어떻게 해야 하는지 알고 있지요. 당연히, 그 창을 집어 곧장 되돌려 던지지 않겠습니까?

"다윗, 누가 당신에게 창을 던지면 당장 벽에서 그 창을 빼내어 되돌려 던지세요. 모든 사람이 틀림없이 그렇게 할 겁니다."

그리고 창을 되돌려 던지는 이 작은 공적을 통해, 당신은 여러 가지를 증명할 수 있을 것입니다. 당신은 용맹스럽습니다. 당신은 정의의 편입니다. 당신은 불의에 담대히 대항합니다. 당신은 함부로 밀어붙일 수 없는 강한 사람입니다. 당신은 부정이나 부당한 대우를 견디지 않습니다. 당신은 믿음의 수호자이고, 열정적인 사람이며, 모든 잘못된 주장을 간파할 수 있는 사람입니다. 당신이야말로 완벽한 사람이지요. 이러한 모든 것이 어우러져 분명히 증명되는 것은 당신은 바로 왕의 후보자라는 것입니다. 그렇습니다. 당신이야말로 하나님의 기름 부음 받은 그 사람인 것입니다. 사울 왕의 대를 이어.

또 하나의 가능성은 당신이 즉위한 지 20년쯤

뒤에는 당신이야말로 온 땅에서 가장 놀라운 기술로 창을 던지는 사람이 될 것이라는 것입니다. 그리고 가장 확실한 것은, 그때쯤 되면….

당신은 아주 미쳐 있을 것입니다.

투창 역사상 어느 누구와도 달리, 다윗은 창이 자기에게 날아왔을 때 어떻게 해야 하는지 알지 못하였습니다. 그는 사울의 창을 되돌려 던지지 않았습니다. 그렇다고 자신의 창을 만들어 던지지도 않았습니다. 다윗에게는 뭔가 다른 것이 있었습니다. 그가 한 것이라고는 재빨리 몸을 피한 것뿐이었습니다.

어떤 사람이, 특별히 젊은 청년으로서, 왕이 자신을 과녁으로 삼았다면 어떻게 할까요? 또 그 청년이 보복하지 않기로 결정했다면 어떻게 해야 할까요?

제일 먼저, 그는 창을 보지 못하는 척해야 할 것입니다. 비록 그 창이 자신을 향해 곧장 날아오고 있을 때라도. 그리고는 아주 재빨리 몸을 피하는

법을 배워야 할 것입니다. 마지막으로, 그는 전혀 아무 일도 일어나지 않은 체해야 합니다.

창에 맞은 사람은 쉽게 알아볼 수 있습니다. 그의 얼굴은 좋지 못한 감정들로 짙게 그늘져 있기 때문입니다. 다윗은 한번도 창에 맞지 않았습니다. 그는 아주 깊이 감추어진 비밀을 서서히 배워 갔던 것입니다.

그는 날아오는 창으로부터 자신을 보호해 줄 세 가지 방법을 터득하게 되었습니다.

첫째, 인기 있고 쉽게 배울 수 있는 창 던지기 기술을 전혀 배우지 않는 것입니다.

둘째, 창 던지는 사람들과 함께 있지 않도록 하는 것입니다.

셋째, 입을 꼭 다무는 것입니다.

이렇게 할 때, 그 창이 당신의 심장을 꿰뚫고 지나간다 하더라도, 결코 당신을 건드리지는 못할 것입니다.

"나의 왕은 미쳤어요. 적어도 내가 보기에는 그

렇습니다. 어떻게 해야 합니까?"

첫째, 이 불변의 사실을 받아 들이십시오. 당신은, 아니, 우리 중 아무도 누가 하나님의 기름 부음을 받은 자인지 알 수 없습니다. 어떤 왕들에 대해서는 모든 사람들이 분명히 사울의 반열에 있다고 장담하지만, 사실은 다윗 왕의 뒤를 잇는 사람들이기도 합니다. 누가 옳은가요? 누가 알 수 있는 것인지요? 아무리 현명하다 할지라도 이 수수께끼를 풀 수 있는 사람은 아무도 없습니다. 우리가 할 수 있는 것이라고는 우리 자신에게 이렇게 물어보며 서성거릴 뿐이지요.

"이 사람이 하나님의 기름 부으신 자인가? 그렇다면 사울의 반열에 속한 자인가?"

이 질문들을 잘 외워 두십시오. 아마도 만 번쯤은 당신 스스로에게 물어보야야 할지 모르기 때문입니다. 특히 당신이 곧 미쳐 버릴지도 모르는 왕이 다스리는 나라의 시민이라면 더욱 그렇지요.

이 질문을 하는 것이 그리 어렵게 보이지 않으나 사실은 어려운 것입니다. 특별히 당신이 아주 심하게 울고 있을 때, 또한 창들을 재빨리 피해가며, 창을 맞던지고 싶은 유혹을 받으며, 그리고 다른 사람들로부터 그렇게 하라는 부추김을 받고 있을 때. 또한 당신의 모든 이성과 온전한 정신과 논리와 지성과 상식이 그렇게 하기를 동의할 때. 그러나 눈물을 흘리는 가운데 이것을 기억하십시오. 당신은 질문만 알고, 답은 모른다는 것을.

아무도 그 답을 알지 못합니다.

하나님밖에는.

그러나 그분은 절대 말씀하지 않으십니다.

"나는 앞장에 씌어 있는 것들이 마음에 들지 않습니다. 문제를 회피했어요. 나는 다윗과 같은 상황에 처해 있고, 고통을 당하고 있습니다. 나는 창을 던져대는 왕이 다스리는 나라에 살고 있는데 어떻게 해야 합니까? 떠나야 하나요? 그렇다면 어떻게 떠나야 하나요? 창 던지기 경연대회에 있을 때에는 도대체 어떻게 해야 하는 겁니까?"

글쎄요, 당신이 앞장에서 말한 질문을 좋아하지 않았다면, 이 장에서 밝혀질 해답도 좋아하지 않을 것입니다.

"찔려 죽으십시오."

이것이 대답이지요.

"왜 그래야 합니까? 아니 그렇게 해서 좋을 것
이 뭐냐구요?"

당신은 그릇된 왕 사울을 주목하고 있습니다.
당신이 당신의 왕을 주목하고 있는 한, 당신은 지
옥과도 같은 현재의 상황 가운데 그를, 단지 그만
을 탓하게 될 것입니다. 조심하십시오. 왜냐하면
하나님은 또 하나의 사울 왕을 주시하고 계시기
때문입니다. 당신에게 창을 던지며 그곳에 서 있
는 눈에 보이는 사울이 아닙니다. 그렇습니다. 하
나님은 또 하나의 사울을 보고 계십니다. 똑같이
나쁜, 아니면 더 나쁜.

하나님은 당신 안의 사울 왕을 보고 계신 것입
니다.

"내 안에라고요?"

사울은 당신의 핏줄 속에 있고 당신의 골수에
있습니다. 그는 바로 당신 심장의 살과 근육을 이
루고 있습니다. 그는 당신의 영혼 속에 있습니다.

당신 몸의 원자들 중심에 거하고 있는 것입니다. 사울 왕은 당신과 함께 있는 자입니다. 당신이 바로 사울 왕인 것입니다!

그는 당신의 폐 속에서 살아 숨 쉬며, 우리 모두의 가슴 속에서 맥박으로 고동치고 있습니다. 그는 멸종되어야 합니다. 이 말이 별로 기분 좋게 들리지 않을지라도, 이제 당신은 적어도 왜 하나님께서 당신을 곧 사울 왕이 될 듯한 사람 밑에 두셨는지 알게 된 것입니다.

하나님이 다윗의 심장 안에 있는 사울을 제거하지 않으셨다면, 양치기 다윗은 사울 왕 2세로 성장했을 것입니다. 그 수술은 실상 여러 해가 걸린 것이었고 환자를 거의 죽게 할만큼 무자비한 경험이었습니다. 그러면 이 속사람 사울을 제거하기 위해 하나님이 사용하신 메스와 집게는 무엇이었나요?

하나님은 바로 겉사람 사울을 쓰신 것입니다.

사울 왕은 다윗을 죽이려고 그렇게 애썼지만, 그가 이룬 유일한 성공이라고는 다윗의 영혼의 동굴 속을 배회하던 속사람 사울을 죽이는 하나님의

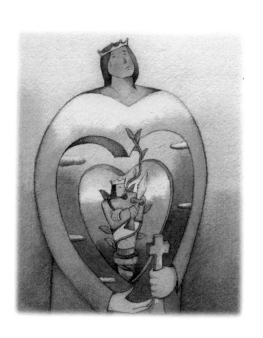

시종이 된 것뿐이었습니다. 그렇습니다. 이 과정 속에서 다윗은 파멸된 것이나 다름이 없었습니다. 그러나 그렇게 될 수밖에 없었습니다. 그렇지 않고는 그 안의 사울이 살아 남아 있게 될테니까요.

다윗은 이런 운명을 받아들였습니다. 그는 그 잔인한 상황들을 포용하였습니다. 그는 응수하지 않았고 대항하지도 않았습니다. 자신의 경건함을 보이기 위해 박수갈채를 노리는 연기도 하지 않았습니다. 잠잠히, 혼자서, 그는 그 가혹한 시련을 겪었습니다. 그의 속사람 전부가 절단되었습니다. 그의 성품이 변화되었습니다. 흐르던 피가 엉겨 붙었을 때에, 다윗은 거의 알아 볼 수 없을 정도였습니다.

당신은 앞장의 질문을 만족스럽게 여기지 않으셨지요? 그렇다면 아마 이 장에서 드린 해답도 좋아하지 않으셨을 것입니다. 우리 중 아무도 좋아하지 않습니다. 하나님을 제외하고는.

내가 소리 내어 여호와께 부르짖으며

소리 내어 여호와께 간구하는도다

내가 내 원통함을 그 앞에 토하며

내 우환을 그 앞에 진술하는도다

내 심령이 속에서 상할 때에도

주께서 내 길을 아셨나이다

나의 행하는 길에

저희가 나를 잡으려고 올무를 숨겼나이다

내 우편을 살펴보소서

나를 아는 자도 없고 피난처도 없고

내 영혼을 돌아보는 자도 없나이다

여호와여 내가 주께 부르짖어 말하기를

주는 나의 피난처시요

생존 세계에서 나의 분깃이시라 하였나이다

나의 부르짖음을 들으소서

나는 심히 비천하니이다

나를 핍박하는 자에게서 건지소서

저희는 나보다 강하니이다

내 영혼을 옥에서 이끌어내사

주의 이름을 감사케 하소서

주께서 나를 후대하시리니

의인이 나를 두르리이다

-시편 142:1-7

3
떠남, 긴 겨울 속으로

하나님의 기름 부으신 자를-특별히 사울 왕의 반열에 있는 기름 부음 받은 자를-드디어 떠날 때가 되었다는 것을 어떻게 알까요?

다윗은 결코 그것을 스스로 결정하지 않았습니다. 왕이 친히 내린 법령이 그 문제를 해결한 것입니다.

"그를 잡아라! 개처럼 죽여라!"

그때서야 다윗은 떠났습니다. 아니, 그는 도주하였습니다. 그때에도 그는 말 한 마디 하지 않았고 사울을 향해 응수하지도 않았습니다.

또한 주목해야 할 사실이 있습니다. 다윗은 떠나면서 왕국을 분열시키지 않았습니다. 그는 혼자 떠난 것입니다. 혼자, 전혀 혼자.

사울 왕 2세는 결코 그렇게 하지 않습니다. 그

는 '같이 가기로 고집하는' 사람들을 꼭 데리고 갑니다.

그렇지요. 사람들은 당신과 함께 가기를 고집합니다. 그렇지 않습니까? 그들은 당신이 사울 왕 2세의 왕국을 세우는 일을 기꺼이 돕습니다. 그런 사람들은 절대 혼자 떠날 용기가 없습니다.

그러나 다윗은 혼자 떠났습니다. 당신이 보다시피, 진정한 하나님의 기름 부음 받은 자는 떠날 수 있는 것입니다.

왕국을 떠나는 길은 단 한 가지입니다. 혼자. 아무도 없이 혼자서.

동굴은 사기를 북돋기에 이상적인 곳이 아닙니다. 모든 동굴에는 어떤 공통점이 있습니다. 어둡고, 춥고, 고약한 냄새가 나는, 게다가 당신이 그 동굴 안에 사는 유일한 사람이고, 멀리서 개들이 사냥감을 쫓아 울부짖는 소리가 들려올 때는 더욱더 열악한 곳이 됩니다.

그러나 가끔씩 개들과 사냥꾼들이 가까이 있지

않을 때, 사냥감이 된 이 사람은 노래를 불렀습니다. 나지막하게 시작하지만 곧 목청을 높여 어린 양이 가르쳐 준 그 노래를 불렀습니다. 동굴의 벽들이 전에 산들이 했던 것처럼 한 음 한 음 메아리쳐 주었습니다. 그 곡조는 동굴의 깊은 어두움 속으로 굴러 내려가 곧 메아리치는 합창이 되어 다시 들려오곤 하였습니다.

이제 그는 양치기일 때보다도 가진 것이 없었습니다. 수금도, 태양도, 심지어 함께 있을 양들도 없었습니다. 왕궁의 기억들은 사라져 버렸습니다. 다윗의 가장 큰 야망은 이제 양치기의 막대기만큼에도 미치지 않게 되었습니다. 모든 것이 그에게서 깨어져 나오고 있었습니다.

그는 노래를 많이 불렀습니다. 그리고 모든 곡조들은 눈물로 짝을 이루었습니다. 고통이 낳는 것은 참으로 묘하지 않습니까? 그 동굴들 속에서 슬픔에 빠진 다윗은 단연 가장 위대한 찬송 작가가 되었으며, 이 세상이 알게 될 모든 깨어진 마음들을 위한 가장 큰 위로자가 된 것입니다.

그는 뛰었습니다－축축한 들판과 진흙 투성이의
강바닥 사이를. 종종 개들이 접근해왔으며 어떤
때는 그를 찾기까지도 했습니다. 그러나 날렵한
발과 강들, 물 고인 웅덩이들이 그를 숨겨 주곤 하
였습니다.

　그는 들판에서 먹을 것을 얻는가 하면, 길가의
나무 뿌리를 파 먹고, 나무 위에서 자기도 했습니
다. 웅덩이에 숨었으며, 가시덤불과 진흙 사이를
기어다니기도 하였습니다. 몇 날이고 뛰었습니다.
그는 빗물을 마셨습니다. 옷은 해어져 반은 벗은
채로, 온 몸이 더러운 채로, 계속 걷고 넘어지고
기어 다니고, 그리고 손톱으로 움켜잡기도 하였습
니다. 동굴도 이제는 왕궁같이 여겨졌습니다. 이
제는 웅덩이들이 집이 되었습니다.

　전에는 엄마들이 아이들에게 착하게 굴지 않으
면 술주정꾼이 될 것이라고 타이르곤 했습니다.
그러나 이제는 그렇지 않습니다. 아이들을 더욱
겁나게 하는 이야기가 생겼기 때문입니다.

"말 잘 들어. 그렇지 않으면 저 거인을 죽인 사람같이 될 거야."

예루살렘에서는 왕에게 순종할 것과 하나님의 기름 부으신 자를 공경할 것을 가르칠 때 다윗을 비유로 들었습니다.

"자, 이것이 하나님께서 반역하는 자들에게 하시는 일이라구."

이 이야기를 듣는 젊은이들은 그 생각에 몸서리를 치면서 반역과는 절대 상관없는 자가 되겠다고 결심하곤 하였습니다. 그것은 그때도 그랬고, 지금도 그렇고, 또 앞으로도 그러할 것입니다.

오랜 시간이 흐른 뒤 다윗은 한 이방 땅에 도착하게 되었습니다. 그곳은 조금, 아주 조금은 안전한 곳이었습니다. 그러나 그는 여기서도 미움을 받았고, 모략을 당했으며, 계략에 빠졌습니다. 몇 번이나 죽임을 당할 뻔하기도 하였습니다.

이러한 상황들은 다윗에게 있어 가장 어두운 시간들이었습니다. 당신은 이때를 다윗이 왕이 되기 위한 준비 기간쯤으로 알고 있지만, 그는 그때 그것을 알지 못하였습니다. 그는 이것을 그의 영원

한 운명으로 여겼던 것입니다.

고통이 분만하고 있었습니다. 겸손이 태어나고 있는 중이었습니다. 세상의 기준으로 볼 때, 그는 완전히 실패한 사람이었습니다. 그러나 하늘의 눈으로 볼 때, 그는 깨어진 사람이 된 것입니다.

다른 사람들도 왕의 광기가 늘어감에 따라 도망하여야 했습니다. 처음에는 한 사람, 그 다음에는 세 명, 열 명, 그러다 결국에는 수백 명이 되었습니다. 그를 찾아 나선 지 오랜 후에야 망명객들 중 몇몇이 다윗을 만나게 되었습니다. 그들은 그를 오랫동안 보지 못했습니다.

사실 그들이 다윗을 다시 만났을 때, 그들은 그를 전혀 알아보지 못했습니다. 그는 변하였지요. 그의 성품, 성격, 그의 모든 것이 달라진 것입니다. 그는 말수가 줄었으나, 하나님을 더 깊이 사랑하게 되었습니다. 노래도 다르게 불렀습니다. 그들은 이런 노래를 들어보지 못했습니다. 어떤 것들은 말로 다 표현할 수 없을 만큼 아름다웠지만,

어떤 노래들은 피가 얼어붙을 만큼 처절하기도 했습니다.

그를 찾아 그와 함께 도망자가 되기로 한 사람들은 불쌍하며 보잘것없는 무리였습니다. 도둑들, 거짓말쟁이들, 불평 분자들, 흠만 잡는 자들, 반역으로 마음이 가득한 자들.

그들은 왕에 대한 미움으로 눈이 멀었으며, 따라서 모든 권위자들에게도 그러하였습니다. 그들이 혹 낙원에 들어 갈 수 있다면 그곳에서라도 문제를 일으킬 그런 자들이었습니다.

다윗은 그들을 인도하지 않았습니다. 그들의 태도에 동의하지 않았습니다. 그러나 그들은 자발적으로 그를 따르기 시작하였습니다.

그는 결코 권위에 대해 말하지 않았습니다. 결코 순종에 대해 말하지 않았습니다. 그러나 한 인간에게 그들은 순복하였습니다.

그는 규칙을 만들어내지 않았습니다. 율법주의라는 말은 망명객들에게서는 찾아볼 수 없는 단어였습니다. 그럼에도 불구하고, 그들은 밖으로 드러나는 자신들의 삶을 깨끗게 하였습니다. 서서히 그들의 내면도 변화되기 시작하였습니다.

그들은 순종이나 권위를 두려워하지 않았습니다. 그런 것에 대해 토론하기는커녕 생각조차 하지 않았습니다. 그러면 그들이 어떻게 그를 따랐을까요?

정확히 말하자면, 그들이 그를 따른 것이 아니지요. 단지 그가 다윗이었기 때문입니다. 그것은 더 이상 설명이 필요 없는 것입니다.

그리하여 두 시대를 거쳐 처음으로, 진정한 왕권이 탄생하게 되었습니다.

"어째서요? 다윗이여, 어째서입니까?"

또 하나의 이름 없는 동굴에서 사람들은 요란스레 동요되었습니다. 모든 사람들은 도저히 이해할 수 없는 다윗의 행동에 대해 혼란스러워 했으며, 마침내 요압은 어떤 해명을 요구하며 나섰습니다.

다윗은 부끄럽게 여기거나 적어도 변명은 했어야 할 것입니다.

그러나 그는 아무것도 하지 않았습니다. 혼자만

이 볼 수 있는 다른 세계를 보는 듯, 그는 요압*을
멍하니 보고 있었습니다.

요압은 다윗 앞으로 곧장 걸어가, 그를 경멸하
며 분노를 퍼붓기 시작했습니다.

"여러 번이나 그는 성에서 당신을 창으로 찔러
죽이려 하였지요. 나는 그것을 두 눈으로 똑똑히
보았어요. 마침내 당신은 도망칠 수밖에 없었고,
이제까지 몇 년 동안이나 그가 쫓는 토끼에 불과
한 신세로 지냈지요. 더군다나, 온 세상이 당신을
향한 거짓말을 믿고 있으며, 그 왕은 모든 동굴과
웅덩이와 구덩이를 뒤지며 당신을 개처럼 죽이려
고 찾아다녔습니다. 그러나 오늘밤 당신은 그를
당신의 창끝에 두었으면서도 아무것도 하지 않았
단 말이에요! 우릴 봐요, 우리는 다시 짐승이 되었
지요. 불과 한 시간 전에 우리는 해방될 수 있었습
니다. 그래요, 우리는 당장 자유롭게 될 수 있었지
요. 다윗이여, 왜 당신은 이런 고통의 날들을 끝내

---

* 요압: 다윗의 군대장관이며 이 책에 등장하는 아비새와는 형제간이다. 여러
전쟁에서 이스라엘을 승리로 이끈 뛰어난 군사 전략가로서, 다윗의 재
위 기간 내내 그의 훌륭한 보좌관 역할을 담당했다.

지 않는단 말입니까? 도대체 왜?"

오랜 침묵이 흘렀습니다. 사람들은 다시 웅성거리기 시작했습니다. 그들은 다윗이 책망 받는 일에 익숙하지 못했던 것입니다.

"왜냐하면,"

다윗은 천천히 말하였습니다. 요구한 내용들은 들었지만 그 태도는 듣지 못했다는 듯이….

"오래 전에 그는 미치지 않았었소. 그는 젊었지요. 그는 위대하였소. 하나님과 인간의 눈에 위대하였다오. 그리고 그를 왕으로 세우신 분은 하나님이셨지 사람이 아니란 말이오."

"그러나 지금은 미쳤습니다! 그리고 하나님께서도 이제는 함께 하시지 않습니다. 그리고 다윗, 언젠가는 그가 당신을 반드시 죽일 것입니다!"

요압이 흥분하여 대답하였습니다.

"그가 날 죽이는 것이 내가 그의 방법을 배우는 것보다 낫소. 그가 나를 죽이는 것이 내가 그와 같이 되는 것보다 낫단 말이오. 나는 왕들을 미쳐버리게 하는 그 길을 택하지 않겠소. 나는 복수하지 않을 거요. 아니, 결코 그러지 않을 거요!"

요압은 도무지 이치에 맞지 않는 다윗의 대답을
받아들일 수가 없었습니다. 그는 어두움 속으로
뛰쳐나가 버렸습니다.

그날 밤 사람들은 차고 축축한 바위 위에서 잠
자리에 들며 그들의 지도자가 갖고 있는 왕들에
대한, 특별히 미친 왕들에 대한 뒤틀린 피학대적
인 견해에 대해 투덜거렸습니다.

천사들도 그날 밤 잠자리에 들었습니다. 그리고
그 별난, 정말 특별난 그날의 저녁놀 속에서 꿈을
꾸었습니다. 하나님께서 이제는 믿을 만한 한 사
람에게 그분의 권위를 주실 것이라는.

나의 힘이 되신 여호와여

내가 주를 사랑하나이다

여호와는 나의 반석이시요

나의 요새시요 나를 건지시는 자시요

나의 하나님이시요 나의 피할 바위시요

나의 방패시요 나의 구원의 뿔이시요

나의 산성이시로다

하나님의 도는 완전하고

여호와의 말씀은 정미하니

저는 자기에게 피하는 모든 자의 방패시로다

여호와 외에 누가 하나님이며

우리 하나님 외에 누가 반석이뇨

—시편 18:1-2, 30-31

4
사울 VS 다윗

사울은 어떤 부류의 사람이었습니까? 자기 자신을 다윗의 적으로 만들어버린 이 사람은 어떤 사람이었나요? 하나님의 기름 부음을 받은 자, 이스라엘의 구원자, 그리고 여전히 그 광기로 인해 가장 잘 기억되는….

그에 대한 악평들을 잊어버리십시오. 그 날카로운 비평들을 잊어버리십시오. 그의 명성들을 잊어버리십시오. 다만 사실을 보십시오.

사울은 인류 역사상 가장 훌륭한 인물 중의 한 사람이었습니다. 그는 농가의 소년으로 진짜 시골 아이였지요. 훤칠하고 잘 생겼으며, 누구나 그를 좋아하였습니다. 그는 하나님의 영으로 세례를 받았습니다.

그는 또한 좋은 가문의 출신이었습니다. 즉, 그

의 족보에는 인류의 위대한 역사적 인물들이 몇 명이나 있었습니다. 아브라함, 이스라엘, 모세, 이들이 그의 선조들이지요.

당신은 그 배경을 기억하시나요? 아브라함은 나라를 세웠습니다. 모세는 그 나라가 노예된 것에서 자유케 하였지요. 그리고 여호수아는 그 백성들을 하나님께서 약속하신 땅에 들어가도록 하였습니다. 사사들은 모든 것이 붕괴되어 완전히 혼란한 상태가 되는 것을 막아 주었습니다. 그때가 사울이 등장한 때였습니다. 이런 백성들을 취하여 하나님의 연합된 왕국으로 결합시킨 사람이 바로 사울인 것입니다.

사울은 백성들을 연합하여 나라를 세웠습니다. 그런 일을 해본 사람은 아무도 없었습니다. 사기라고는 거의 없는 자들을 모아 군대를 만들어냈습니다. 그는 하나님의 능력으로 전쟁에서 승리를 거두었고, 적을 무찌르고 또 무찔렀습니다. 그렇게 한 사람은 거의 찾아 볼 수가 없지요. 이것을 기억합시다. 꼭 기억해야 할 일입니다. 이 사람 사울은 하나님의 영에 충만했던 사람이었습니다. 더군다나 그는 선지자였습니다. 그는 전례가 없는 새로운 일들을 행하고 말하였는데, 그것은 그에게 내린 성령의 능력으로 이루어진 것입니다.

그는 사람들이 추구하는 모든 것을 갖추고 있었습니다. 즉, 성령의 권능으로, 하나님을 위해 놀라운 일들을 행하는, 하나님께 택함을 받은 지도자였습니다. 사울은 홀로 한 분이신 하나님의 권위를 부여받았습니다. 그는 하나님의 기름 부으신 자였습니다.

그러나 어느새 질투에 사로잡히게 되어, 살인을 꾀하는 등 기꺼이 영적인 어두움 속에 살기로 하였던 것입니다.

이런 모순들 가운데 무슨 교훈이 있을까요? 있습니다. 그리고 그 교훈은 권력에 대해, 하나님의 기름 부음 받은 위대한 인물들에 대해, 그리고 하나님에 대해 당신이 가지고 있는 개념들을 철저하게 깨뜨릴 것입니다.

사람들은 흔히 하나님의 능력을 받기 위해 기도합니다. 해마다 더욱 많은 사람들이 그것을 위해 기도합니다. 그런 기도들은 힘이 있고, 진실하며,

경건하고, 다른 동기가 없는 듯합니다.

그러나 그러한 기도와 열정 밑에 숨겨진 것은 야망이며, 명성에 대한 갈망이며, 영적인 거인으로 여겨지기를 원하는 욕구인 것입니다. 그런 기도를 하는 그 사람 자신은 이것을 깨닫지 못할 수도 있지요. 그러나 그런 어두운 동기와 욕망은 그의 마음속에, 당신의 마음속에 있는 것입니다.

사람들이 이러한 기도를 하고 있을 때도, 그들의 속은 텅 비어 있을 수 있습니다. 내적인 영적 성장은 거의 없는 셈이지요. 능력을 구하는 기도는 빠르고도 짧은 길인데, 그 길은 내적 성장을 그냥 지나쳐버리곤 합니다.

성령의 능력이 겉으로 드러나는 것과, 그 영의 생명이 내적으로 채워지는 것 사이에는 엄청난 차이가 있습니다. 처음의 경우에는 나타난 능력과 관계없이 그 마음의 숨겨진 사람은 변화되지 않은 채 있을 수 있지요. 그러나 후자의 경우에는, 바로 그 괴물이 다루어지게 되는 것입니다.

하나님은 재미있는 분이시지요. 그분은 이러한 능력을 구하는 모든 세대의 열정적인 젊은이들의 기도에 응답하신다는 것입니다! 그분은 능력과 권위에 대한 간구를 아주 자주 들어 주십니다. 그들의 기도를 응답하실 때에, 그분은 종종 형편없는 인물들에게도 "예스"라고 말씀하시는 것입니다.

하나님께서 가치 없는 자들에게 능력을 주신다고요? 그분의 능력을? 그들의 속이 죽은 자들의 뼈무더기 같을지라도?

하나님은 왜 그런 일을 하실까요? 그 대답은 아주 간단하지만 놀라운 것입니다. 그분은 형편없는 사람에게 더 큰 능력을 주심으로써 결국에는 모든 사람들로 그 사람 안에 있는 내적인 헐벗음의 진정한 모습을 보도록 하시는 것입니다.

그러므로 능력을 파는 사람의 말을 듣게 될 때, 다시 한번 생각해보시기 바랍니다. 기억하십시오. 하나님은 종종 보이지 않는 이유들로 사람들에게 능력을 주신다는 것을. 지독한 죄 가운데 살고 있는 사람일지라도 밖으로는 완전히 은사를 발휘할 수 있는 것입니다.

한번 주어진 하나님의 은사는 다시 취소되지 않습니다. 죄가 있다 할지라도 취소되지 않습니다.

더군다나 바로 그런 삶을 살아가고 있는 사람들 중에는 하나님의 기름 부으신 자가 있는 것입니다. 사울이 바로 그 살아 있는 증거이지요. 은사는 취소될 수 없습니다. 무서운 일이지요. 그렇지 않습니까?

당신이 아직 그런 일을 보지 못한 젊은이라면, 40년 안에 언젠가는 분명히 보게 될 것입니다. 많은 은사를 받고 아주 능력 있는 사람들, 하나님 나라 안에서 명성을 갖고 있는 그런 사람들이 아주 어둡고 추악한 행위를 하곤 하는 것입니다.

겉으로 능력을 받은 사람들 중에는 군대를 일으키고 적을 무찔렀으며, 하나님의 크신 일을 나타냈고, 비할 데 없는 능력과 웅변술로 설교하고 예언한 사람들이 있었다는 것을….

그리고 창을 던지고,

다른 사람들을 미워하였으며,

다른 사람들을 공격하고,

죽일 계획을 꾸미고,

제멋대로 예언을 하며,

심지어는 마녀들의 말에 귀를 기울이기도 했다

는 것을….

"당신은 아직 내 질문에 대답하지 않았습니다. 내 위에 있는 사람, 내 생각에는 사울 왕의 반열에 있는 사람 같은데, 어떻게 하면 확실하게 알 수 있을까요?"

우리는 알 수 없습니다. 그리고 기억할 것은 심지어 사울 같은 자들도 종종 하나님의 기름 부으신 사람들이라는 것입니다.

당신이 알다시피 언제 어디에나 그런 사람들은 있게 마련이지요. 어떤 사람은 당신 앞에 서서 이렇게 말할 것입니다.

"저 사람은 사울 왕의 계열에 속한 자요."

똑같이 확신에 찬 또 한 사람이 일어나 외칠 것입니다.

"아니오, 그는 다윗 계열에 있는 하나님의 기름 부으신 자입니다."

아무도 이 두 사람 중에 누가 정말 옳은지 알 수 없습니다. 만일 당신이 어쩌다가 그 두 사람이 서로에게 소리치고 있는 것을 보게 되었을 때, 그런 계열이 진정 있다면 그렇게 외치고 있는 그들이야 말로 어떤 쪽에 속할까 하고 궁금히 여기게 될 것입니다.

기억하십시오. 당신의 지도자가 다윗일 수도 있다는 것입니다.

"그건 불가능해요!"

그렇습니까? 우리는 다윗 계열에 속한 사람이지만 인간들에게 저주 받고 십자가에 못박힌 사람을 적어도 두 사람은 알고 있지요. 그들을 못박은 이들은 자신들이 못박는 사람이 다윗이 아니라는 것을 확신했던 사람들이었습니다. 그리고 당신은 그런 경우를 둘은 모른다 하더라도 하나는 분명히 알고 있습니다.

우리 가운데 사울의 뒤를 잇는 사람들은 종종 우리 중에 있는 다윗을 못박아 죽이곤 합니다.

그렇다면, 누가 다윗이며 어떤 사람이 사울인지 알 수 있는 것입니까? 하나님은 아시지요. 그러나 말씀하지 않으십니다.

당신은 당신의 왕이 다윗이 아니고 사울이라는

것을 확신한 나머지 하나님의 자리를 기꺼이 빼앗아 당신의 사울을 대적하는 전쟁을 하시겠습니까? 그렇다면 골고다를 사용하는 시대에 살고 있지 않는 것을 하나님께 감사하십시오.

그러면 당신이 할 수 있는 것은 무엇일까요? 거의 없습니다. 아마 아무것도 없을지 모릅니다.

그러나 시간의 흐름이, 그리고 그 시간이 지나는 동안 당신의 지도자가 하는 행동이, 당신의 지도자에 대해 많은 것을 보여 주게 될 것입니다.

그 시간의 흐름, 그리고 그 지도자에 대한 당신의 반응들이-그가 다윗이건 사울이건 간에-바로 당신에 대한 많은 것을 보여 주게 될 것입니다.

사울의 통치 후 두 세대가 지난 뒤, 한 젊은이가 다윗의 손자인 새 왕이 거느리는 이스라엘 군대에 지원하여 입대하였습니다. 그는 곧 다윗의 용맹스러웠던 용사들의 얘기를 듣게 되었습니다. 그는 그들 중 한 사람이라도 생존해 있는지 알아내기로 하였습니다. 만약 그런 사람이 살아 있다면 100세도 넘었을 테지만 반드시 만나보아야겠다고 작정하였습니다.

마침내 그는 그러한 사람이 생존해 있음을 알아냈습니다. 그 사람이 어디에 살고 있는지 알아낸 뒤, 그 젊은이는 그 집을 향해 서둘러 갔습니다. 설레는 마음으로 문을 두드리자 문이 천천히 열렸습니다.

거기에는 거인과도 같은 사람이 회색, 아니 백발의 주름진 얼굴로 서 있었습니다.

"어르신네께서 그 옛날 다윗의 용맹스런 군사 중 한 명이셨습니까? 우리가 그렇게도 얘기를 많이 들었던 그들 중의 한 분이셨나요?"

노인은 젊은이의 얼굴과 용모, 그의 군복을 오랫동안 응시하였습니다. 그리고 그 젊은이에게서 눈을 떼지 않은 채, 노쇠했으나 단호한 목소리로 대답하였습니다.

"나에게 한때는 도적이었고, 동굴에 살았으며, 감상적이고 유난스러운 망명자를 좇아다녔던 사람이냐고 묻는다면, 그렇소. 내가 '다윗의 용맹스러운 자'들 중 하나였소."

노인은 말을 마치며 어깨를 폈습니다.

"어째서 어르신은 그 위대한 왕을 약해 빠진 사람으로 폄하하십니까? 그는 모든 지도자 중에 가장 위대한 분이 아니었나요?"

"그는 약해 빠진 자가 아니었소."

노인은 말했습니다. 그리고 나서 그 젊은이가 자신의 집까지 찾아온 동기를 헤아린 듯 부드럽게 대답하였습니다.

"그는 위대한 지도자도 역시 아니었소."

"그렇다면 무엇이지요? 왜냐하면 저는 그 위대한 왕과 그의… 음… 용맹스런 용사들의 도를 배우러 왔거든요. 다윗의 훌륭한 점은 무엇이었나요?"

"자네가 젊은이기에 갖고 있는 야망을 이해하네. 자네가 그런 지도자가 되고자 하는 꿈을 갖고 있는 것을 알겠네."

그 노병은 잠시 말을 멈추고 과거를 회상한 뒤 계속 말을 이었습니다.

"그러지, 내가 나의 왕의 위대함에 대해 자네에게 말해 주겠네. 그러나 내 말에 자네가 놀라게 될지도 모른다네."

노인은 최근에 왕위에 오른 어리석은 새 왕을 생각하자 눈에 눈물이 고였습니다.

"나의 왕은 자네의 왕이 하듯 나를 위협하지 않았네. 자네의 새 왕은 법과 규칙과 규율로 엄격하게 통치하기 시작했지. 우리가 동굴에 살았을 때 내가 기억하는 나의 왕은 그 자신이 순복하는 삶을 살았다는 거야. 그렇지, 다윗은 내게 권위가 아니라 순복이 무엇인지를 보여 주었어. 그가 내게 가르쳐 준 것은 규칙이나 법으로 쉽게 해결해버리는 방법이 아니라 인내하는 법이었다네. 그것이 나의 인생을 바꾸었지. 율법주의라는 것은 지도자가 고통을 피하기 위한 방편으로 내세우는 것 이상의 아무것도 아니라네."

"규칙이라는 것은 노인들이 만든 것이기 때문에, 곧 듣기 싫어지게 되지! 권위를 되풀이해서 말하는 사람들은 자신이 권위를 갖지 못했다는 것을 증명할 뿐이라네. 그리고 순종에 대해 연설을 하는 왕들은 자기들 마음속에 있는 쌍둥이와도 같은 두 가지 두려움을 은연중에 드러내고 있는 것뿐이야. 그 하나는 자신들이 하나님이 보내신 진정한 지도자인지에 대해 확신이 없다는 것이고, 두 번째는 자신들을 대항할지도 모를 반역에 대해 죽음과도 같은 두려움이 있다는 것이라네."

"나의 왕은 자신에게 순종하라고 말하지 않았다네. 그는 반역을 두려워하지 않았지. 왜냐하면… 왜냐하면 그는 왕위에서 쫓겨나는 것에 전혀 개의치 않았기 때문이라네!"

"다윗은 이기는 것이 아니라 지는 것을 가르쳤지. 빼앗는 것이 아니라 주는 것을. 어려움은 백성들이 겪어야 하는 것이 아니라 지도자가 감당해야 한다는 사실을 보여 주었어. 그는 고통으로부터 우리들을 보호해 주었지. 그는 그 고통을 우리에게 나누어 주지 않았다네."

"그가 내게 가르쳐 준 것은 권위는 반역을 낳는다는 거야. 특별히 사람들이 성숙지 못하거나 어리석을 때 권위로 인한 반역이 일어나게 되지."

그의 목소리는 거의 웅변조로 변했습니다.

"하나님께로부터 온 권위를 가진 사람은 도전자들을 두려워하지 않고, 방어하려 하지도 않고, 왕위에서 물러난다 하더라도 조금도 개의치 않는다네. 그것이 그 위대한, 그 참된 왕의 위대함이지."

노인은 걸어다니기 시작했습니다.

다시 돌아서는 그의 태도에는 분노와 당당함이 완연하였습니다.

그리고 젊은이를 향해 마지막 말을 폭탄같이 퍼부었습니다.

"다윗이 권위를 가진 것이 사실인 만큼, 그 권위를 갖지 않은 사람들은 권위에 대해 항상 말할 것이라네. 순종하라. 순종하라. 그게 자네가 듣는 말의 전부이지. 다윗은 권위를 가졌었네. 그러나 그는 스스로 권위를 가졌다고 생각한 적이 한번도 없었네. 우리는 그저 잘 우는 지도자를 가진 600명의 별 볼일 없는 사람들이었어. 그것이 우리의 전부였네."

그것은 그 젊은 군인이 노병으로부터 들은 마지막 말이었습니다.

돌아가기 위해 집을 나서며, 그는 르호보암* 밑

---

*르호보암: 솔로몬의 아들로 그의 뒤를 이어 유다의 왕위에 오름. 여로보암과 이스라엘 온 백성이 과중한 세금과 노역의 경감을 요구할 때에 거절함으로써 남북의 분열을 초래함.

에서 다시 기쁘게 일할 수 있을까 하고 생각해보았습니다.

자, 사울과 다윗에 대한 우리의 연구가 끝나가고 있습니다. 당신은 도움을 좀 받으셨는지요? 무슨 도움인가요?

당신이 섬기는 그 사람이 진정 하나님께로부터 온 사람이 아니라고 이제 확신하십니까? 아니면 하나님이 보내신 자라 할지라도 기껏 사울일 뿐이라고….

아, 우리 인간들은 얼마나 확신을 잘 하는지요. 천사들도 모르는 일들을.

제가 좀 물어봐도 될까요?

이렇게 알게 된 새로운 지식을 가지고 어떤 계획을 하고 있는지요? 네, 저도 잘 알고 있습니다.

당신은 사울도 아니고 다윗도 아니고, 단지 그 땅의 시민에 불과하다는 것을.

그렇지만 당신은 새롭게 발견하신 것을 몇몇 친구들과 나누려 하신다고요?

알겠습니다. 그렇다면 제가 경고 하나 드려도 될까요?

당신이 이 새로운 지식을 무모하게 사용한다면 처음부터 위험을 안게 된다는 것입니다. 당신의 마음 안에 이상한 변화가 생겨날 수 있습니다. 당신도 알다시피 그것은 가능합니다. 하지만 기다리십시오!

저쪽에 보이는 것이 무엇인가요? 저쪽! 당신 뒤쪽, 먼 안개 속에.

돌아보세요. 보이나요? 안개 속에서 걸어오고 있는 저 허깨비 같은 형체가 누구인가요? 전에 본 듯한 낯 익은 얼굴인데….

자세히 보세요. 그가 무엇을 하고 있는지 보이나요?

아, 구식 궤짝 위에 허리를 굽히는 것 같군요.

네, 그가 지금 그것을 열었습니다.

그는 누구입니까?

그는 그 궤짝에서 무엇인가를 꺼내고 있네요. 소매 없는 외투? 망토 같은 것이군요.

아, 그가 그것을 입고 있습니다. 망토같이 어깨

로부터 내려오는 것이 그에게 꼭 맞는군요.

그 다음엔 무얼하나요?

궤짝에 또 손을 넣고 있습니다. 저 사람 전에 어디서 본 것이 확실합니다. 이번에는 무엇을 꺼내고 있지요? 방패?

아니, 문장이군요. 그렇습니다. 오래 전 잊혀진 어느 고대 서열의 문장입니다.

그는 자기의 서열을 세우고자 하는 사람같이 그것을 들어 올리고 있습니다.

저 사람은 누구일까요? 그 거동, 그 태도, 그 몸가짐. 전에 본 적이 있습니다. 분명합니다.

아, 그가 안개 속으로부터 밝은 곳으로 나왔습니다. 이제 그를 분명히 볼 수 있겠군요.

저 얼굴, 당신이 아닙니까?

그렇습니다. 바로 당신입니다!

어떤 한 사람이 하찮은 사울임을 그렇게도 빈틈없이 알아볼 수 있는 당신!

가십시오! 저기 거울을 들여다보세요.
저 사람은 당신입니다!
문장에 새겨진 이름도 보세요.
보라, 압살롬 2세!!

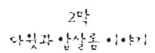

2막
다윗과 압살롬 이야기

5장 야망이 태동하다

6장 압살롬 VS 다윗

7장 광야의 깨어진 마음

8장 반역, 그리고 또 다른 떠남

주는 죄악을 기뻐하는 신이 아니시니
악이 주와 함께 유하지 못하며
오만한 자가 주의 목전에 서지 못하리이다
주는 모든 행악자를 미워하시며
거짓말하는 자를 멸하시리이다
여호와께서는 피 흘리기를 즐기고
속이는 자를 싫어하시나이다
저희 입에 신실함이 없고
저희 심중이 심히 악하며
저희 목구멍은 열린 무덤 같고
저희 혀로는 아첨하나이다
-시편 5:4-6, 9

5
야망이 태동하다

"봐요. 다윗이 오고 있어요!"

밝은 미소와 몇 사람의 깔깔대는 소리와 가벼운 웃음소리가 들립니다.

"봐요! 다윗이에요. 조금도 다름이 없어요."

다시금 활짝 웃는 모습들과 손을 흔드는 모습과 잔잔한 즐거움이 있습니다.

"저 사람은 다윗이 아니에요."

한 아이가 함께 길을 걸어가는 어른에게 말하였습니다.

"왜 사람들이 그렇게 말하지요? 저 사람은 다윗이 아닌데요!"

"그래 맞단다, 아이야. 다윗이 아니지. 문에서 나오는 사람은 압살롬이야."

"왜 사람들은 저 사람을 다윗이라 부르지요?"

소년은 50명을 앞세우며 마차를 타고 오는 잘 생긴 사람을 어깨너머로 보며 물었습니다.

"그를 보면 젊었을 때의 다윗이 생각나기 때문이란다. 그리고 그렇게 훌륭한 젊은이가 언젠가는 다윗의 왕위를 이어 받게 될 것이 너무 기쁘기 때문이기도 하지. 또 압살롬*이 다윗보다 더 잘 생겼기 때문이기도 할 거야. 그는 세상에서 가장 잘 생긴 사람일 거야."

"압살롬이 곧 왕이 되나요? 대체 다윗은 몇 살이지요? 이제 곧 죽게 되나요?"

"물론 아니지, 얘야. 글쎄, 다윗이 몇 살인가? 아마도 정권이 끝났을 무렵의 사울의 나이와 비슷할 게다."

"압살롬은 몇 살이지요?"

"사울이 다윗을 죽이려고 애쓰던 때의 다윗의 나이와 비슷하지."

"다윗은 사울의 나이가 되었고, 압살롬은 다윗

---

* 압살롬: 빼어난 용모를 지닌 다윗의 셋째 아들. 사람을 다루는 능력이 탁월하여 이스라엘 사람들의 환심을 샀으며, 민심을 모아 훗날 아버지 다윗의 왕권에 대항해 반란을 일으킨다.

이 처음으로 왕이 됐을 때의 나이네요."

소년은 곰곰이 생각했습니다. 그들은 잠시 동안 말없이 걸었습니다. 깊은 생각에 빠져 있던 소년이 다시 말하였습니다.

"사울은 다윗을 몹시 어렵게 했지요. 그렇지 않나요?"

"그렇지, 아주 심하게."

"다윗 왕도 압살롬에게 그렇게 대할까요? 다윗도 압살롬을 어렵게 할까요?"

어른이 그 질문을 생각하며 머뭇거리고 있을 때, 소년은 계속해서 말하였습니다.

"만일 다윗이 압살롬을 나쁘게 대한다면, 압살롬은 다윗과 같이 훌륭하게 반응할 수 있을까요?"

"애야, 시간이 지나면 분명히 알게 될 거야. 어쩌면 그런 질문들을 할 생각을 했니? 네가 지금 이렇게 좋은 질문을 하듯이 어른이 되어 좋은 답을 줄 수 있다면, 너는 분명히 세상에서 가장 현명한 사람으로 알려질 게다."

두 사람은 왕궁 문으로 들어갔습니다.

사물을 명확하게 볼 수 있는 사람을 안다는 것은 마음을 뿌듯하게 합니다. 분별력이 있는….

그렇습니다.

이것이야말로 그를 가장 잘 묘사하는 말이 될 것입니다. 그는 어떤 문제이든지 핵심을 찌를 수 있으니까요.

사람들은 그와 함께 있다는 것만으로도 안정감을 느꼈습니다. 그들은 심지어 그와 함께 있기를 고대하기에 이르렀습니다.

그와 얘기하노라면 그들 자신이 더 현명해지는 것 같았습니다.

그런 느낌으로 그들의 기분이 좋아졌습니다. 그가 여러 문제들을 지적하고 해결책들을 제시해갈 때 사람들은 이 사람이 지도자가 되는 날을 갈망하기 시작했습니다.

그는 많은 잘못된 것들을 고칠 수 있었습니다. 그는 그들에게 소망을 주었습니다.

하지만 이 당당하고도 분별력 있는 사람은 그가

통치하기 위해 결코 서두르지 않을 것이며, 사람들도 이것을 분명히 알고 있었습니다.

그는 매우 겸손했고 현재의 지도자를 너무도 존중하고 있었기 때문입니다.

그 주위에 있는 사람들은 이 사람이 다스리게 될 더 나은 날을 계속 기다려야 한다는 생각에 조금씩 초조해지기 시작했습니다.

그의 거실에 앉아 이야기를 하면 할수록 그 나라 안에 일어나고 있는 잘못된 점들을 더욱더 명확하게 깨닫게 되었습니다.

전에는 결코 생각해보지 않았던 언짢은 것들, 그리고 그들이 꿈조차 꾸지 않았던 문제들이 나타나고 있었습니다.

그렇습니다. 그들의 지혜와 분별력이 자라가고 있었지요.

날이 감에 따라, 더더욱 많은 사람들이 모이게 되었습니다. 소식은 조용히 퍼져 나갔습니다.

"우리의 문제를 알고 그 해결책을 가진 사람이 여기 있다."

좌절한 사람들이 찾아 왔습니다. 그들은 들었습

니다. 질문도 하였습니다. 그들은 굉장한 답을 얻었고 희망을 갖기 시작하였습니다.

고개를 끄덕이며 동의하였습니다. 꿈들이 다시 태동하였습니다.

시간이 갈수록 그런 모임은 더욱 많아졌습니다. 생각들이 이야기로 변하였지요. 다른 사람들이 사소하게 여기고 말았을 부정적인 이야기들…. 그러나 그는 인자하게 들어주고 인정해 주었습니다. 그리고 그 주위 사람들이 이야기함에 따라 알게 된 비행은 더욱 많아지고 심해져갔습니다.

새로운 이야기를 들을 때마다, 이제는 만연해 보이는 불공평에 그들은 더욱 충격을 받았습니다.

그러나 그 현명한 젊은이는 조용히 앉아 있을 뿐, 이러한 불평들에 아무 말도 덧붙이지 않았습니다. 당신이 알다시피 그렇게 하기에 그는 너무 고상했던 것이지요.

그는 그런 모임의 대화를 끝낼 때쯤에는 현재의 지도자들에 대해 존경을 표하는 말로 끝을 맺곤 했습니다.

그러나 누구도 언제까지나 조용히 앉아 있기를

기대할 수는 없지요. 이렇게 부정이 끝없이 계속
된다면 가장 점잖은 사람이라도 행동을 취하게 마
련입니다. 분노하지 않을 수 없었습니다.

마음이 가장 순결한 사람조차 분노에 빠져 버리
고 말 것입니다. 이런 인정이 많은 사람이 이같은
고통을 모르는 채 영영 침묵을 지키고 있을 수는
없었습니다.

이 사람같이 고상한 성품을 가진 사람이라도 언
젠가는 입을 열 것입니다.

결국 그의 추종자들은—그는 결코 추종자가 없
다고 맹세하였지만—격분하여 얼굴이 거의 잿빛이
되었습니다.

그들의 판단에 따르면 왕국 안에서의 비행은 늘
어가는 것뿐 아니라 만연해 있는 것이었지요. 그
들은 모두 이런 끝없는 비행에 대해 무언가를 하
고자 하였습니다.

마침내 그 훌륭한 젊은이가 양보하는 듯 보였습
니다. 처음에는 그저 말 한 마디 던졌을 뿐이지요.
그러다가 얼마 후에는 한 문장이 되었습니다. 사
람들의 가슴은 뛰었습니다.

그들은 환희와 큰 기쁨에 사로잡혔습니다. 그 젊은이는 마침내 스스로 분기하여 행동을 취하게 된 것입니다.

그러나 그는 그들이 오해하지 않도록 주의를 기울였습니다. 그는 지도자들을 크게 비난할 수는 없었지만 애통해하였습니다. 그렇지요. 절대로 그럴 수 없었습니다.

그럼에도 불구하고 그는 더욱더 상심하였습니다. 어떤 보고를 들을 때에는 그가 큰 고통을 당하고 있음을 역력히 볼 수 있었습니다.

마침내 그의 의분은 침착하고도 절제 있는 말로 터졌습니다.

"이런 일들이 있어서는 안 되오."

그는 일어섰고 그의 눈은 빛났습니다.

"만일 내가 지도자라면, 나는…."

이러한 말들로 반역은 불이 붙었습니다.

그 방안에서 가장 고상하고 가장 순결한 그 사람만 빼고는….

그러나 그의 마음속에는 반역이 수년 간이나 차지하고 있었던 것입니다.

"현인이여!"

"예."

"현인이여, 잠깐 시간을 내 주실 수 있습니까?"

"물론이죠. 나는 시간이 많습니다."

"당신은 압살롬의 집에서 있던 모임에서 돌아오시는 길이지요?"

"예, 맞습니다."

"그곳에 있는 동안 당신이 느낀 것들을 좀 말씀해 주시겠어요?"

"압살롬과 그의 친구들의 분위기 말입니까?"

"예, 그것이라도 좋겠군요."

"글쎄요, 나는 압살롬과 같은 사람들을 많이 만났었지요. 많이."

"그러면 압살롬은 어떤 사람인가요?"

"그는 충성스러우면서도 야망을 가지고 있습니다. 모순 같지만 사실입니다. 그가 하는 말 중에 어떤 것들은 아마도 진심일 것입니다. 그러나 자기가 약속한 것들은 이행할 수 없다는 것을 깨달은 뒤에도 그는 계속해서 야망을 지닐 것입니다. 잘못을 시정하는 것은 권력에 오르는 것에 의해 항상 이차적인 일로 밀리게 되지요."

"미안합니다. 현인이여. 하지만 이해할 수가 없군요."

"두 가지가 생각납니다. 한 모임에서 압살롬은 어떤 질문에 대답하면서, 나라 안에 더 많은 자유가 있어야 된다고 강조하였습니다. 모든 사람들이 그 말을 좋아했죠. '백성은 하나님에 의해서만 다스려져야 하고 인간에 의해 다스려져서는 안 됩니다' 라고 말했죠. '우리는 인간을 따르는 것이 아니라 하나님을 따라야 합니다.' 그가 그런 말을 한 것으로 기억합니다."

"또 다른 모임에서는 하나님의 왕국에 대해 그가 가진 위대한 이상들에 대해 말했지요. 백성들이 이룰 수 있는 일들에 대해서 말입니다. 또한 왕국을 이끌어 갈 때 자신이 이룰 많은 개혁에 대해서도 말하였지요. 비록 자신은 깨닫지 못한 듯 보였지만, 그는 융합될 수 없는 두 개의 주장을 한 것입니다. 많은 개혁과 더 많은 자유. 그렇습니다.

그는 진정 내가 수년 간 만났던 무수한 사람들을 생각나게 하였습니다."

"현인이여, 당신이 말하는 것을 이해할 것도 같지만 요점이 무엇인지는 확실치가 않군요."

"압살롬은 꿈을 꾸고 있습니다. 되어야 할 것과 될 것에 대한 꿈. '이것이 내가 할 것입니다' 라고 그는 말합니다. 하지만 그 꿈을 이루기 위해서는 백성들의 협조가 있어야 합니다. 이것이 바로 사람들이 보지 못하는 점이지요. 그런 꿈들이 이루어진다는 것은, 하나님의 백성이 새 지도자를 따르며 같은 관점을 가져야 한다는 사실을 전제로 하는 것입니다. 그런데 사람들은 흔히 미래의 왕국에서는 아무 문제도 일어나지 않으리라고 생각하지요."

"백성들은 한 지도자를 얼마간은 따를 것입니다. 그들은 그 누구도 아주 오랫동안 따른 적이 없지요. 대개 사람들은 그들의 마음이 내키는 대로 합니다. 어떤 사람을 기쁘게 하기 위해 얼마간은 참을 수 있지만 오래 가지는 못하지요. 그들이 비록 하나님을 따르는 자들이라 할지라도 그리 열심히 애쓰지는 않을 것입니다."

"사람들이 자신을 기꺼이 따르지 않게 될 때 압살롬은 어떻게 반응할까요?"

"아, 좋은 질문이군요. 알다시피 불화가 없는 왕국이란 없습니다. 하나님조차도 그분을 비난하는 자가 하늘에 있는 것을 아시지 않습니까? 사람들, 특별히 하나님의 백성들은 어떤 꿈이든 일치하여 따르는 법이 없습니다. 그렇지요, 오늘밤 그가 말한 모든 것을 이루려면 시간이 걸릴 것입니다. 모든 사람이 다 기꺼이 함께 가지는 않을 것입니다. 그래도 그가 자신의 꿈들을 실현시키려 한다면, 그때 압살롬에게는 단 하나의 길만이 보이게 되지요. 독재입니다. 그렇게 하지 않는다면 그의 꿈이 이루어진다 하더라도 아주 적은 부분에 불과할 것입니다. 분명히 말씀드릴 수 있는 것은 만약 그가 독재자가 된다면, 머지 않아 지금 왕에게 있는 것 같이 그에게도 불만을 품는 자들이 생겨나게 된다는 것이지요. 그렇죠, 만일 압살롬이 왕이 된다면 얼마 후 오늘 밤 우리가 막 다녀온 그런 새로운 모임들을 보게 될 것입니다. 단지 새 얼굴들과 새로

운 꿈, 그리고 새로운 반역에 대한 계획들을 가진,
이번에는 압살롬을 향한 반역이지요! 그리고 압살
롬이 그런 모임과 반역의 움직임에 대해 듣게 될
때에, 그에게는 한 가지 길밖에 없습니다."

"그가 어떻게 하리라고 생각하십니까, 현인이
여?"

"반역을 통해 왕위에 오른 자는 다른 반역자들
과 그들의 반역을 참아낼 인내심이 없지요. 압살
롬이 반역을 당한다면, 그는 폭군이 될 것입니다.
그는 현재 당신의 왕보다 열 배는 악하게 될 것이
죠. 그는 반역을 철의 손으로 진압하고, 엄히 다스
릴 것입니다. 그를 반대하는 모든 사람을 제거할
것입니다. 이것이 언제나 요란스러운 반역의 마지
막 단계이지요. 압살롬이 다윗으로부터 왕권을 쟁
취한다면 압살롬은 바로 이런 길을 걷게 될 것입
니다."

"하지만 현인이여, 어떤 반역들은 짐승같은 인
간들과 폭군을 몰아내어 유익을 준 적도 있지 않
습니까?"

"예, 그렇지요. 아주 몇몇의 경우에는…. 하지

만 이것을 기억하세요. 이 특정한 왕국은 다른 나라들과는 다르다는 것을. 이 왕국은 하나님의 나라로 구성되어 있지요. 영적인 왕국입니다. 강조해서 말씀드립니다만 하나님의 왕국에서는 어떠한 반역도 성공할 수 없으며, 또한 축복 받을 수 없다는 것입니다."

"왜 그런가요, 현인이여."

"많은 이유가 있지만 분명한 한 가지는, 영적인 영역에서 볼 때 반역을 일으키는 사람은 아무리 그의 말이 숭고하고 행동이 천사와 같을지라도 이미 그의 비판적인 성품과 파렴치한 성격, 또 그 마음속에 자리한 어두운 동기가 증명되고 있다는 것입니다. 솔직히 말하자면, 도둑입니다. 그는 나라 안에 불만과 긴장감을 조성해서 권력을 가로채거나 추종자들을 흡수해버리는 것이지요. 주권을 차지하기 위해 그는 그렇게 취해 있는 추종자들을 이용하는 것입니다. 반란의 기초 위에 세워진 그런 슬픈 시작…. 그러나 하나님은 그분의 왕국 안에 일어난 분열을 결코 존중하지 않으십니다."

"이상하게도 자신이 하나님의 왕국을 분열시킬

자격이 있다고 느끼는 사람들은 완전히 새로운 왕
국을 세우기 위해 다른 곳, 다른 나라에 갈 수 있
다고는 생각지 않습니다. 그렇죠, 다른 지도자로
부터 훔쳐야 하는 것입니다. 결코 예외를 본 적이
없습니다. 그들에게는 적어도 이미 헌신된 몇몇
추종자들이 꼭 있는 듯 하지요. 빈손으로 혼자 시
작한다는 것은 가장 잘난 사람일지라도 두렵게 만
듭니다. 그리고 그것은 바로 하나님께서 그들과
함께 계신 것에 대해 확신이 없는 것을 말해 줍니
다. 비록 진실하게 보일지라도 그들이 하는 모든
말이 그들의 불안함을 나타내 줍니다."

　"도대체 왜 그런 '왕이나 선지자가 될 만한 자
들' 은 조용히 혼자 떠나가서 다른 곳에서 다른 사
람들을 찾아 자신들이 꿈꾸는 왕국을 세우지 않는
건지요?"

　"영적인 세계에서 반란을 일으키는 사람들은 무
가치한 자들입니다. 예외가 없습니다. 이제 저는
그만 가봐야겠습니다. 저기 지나가는 행렬에 동참
해야 하니까요."

　"현인이여, 당신의 이름이 무엇인지 말씀해 주

십시오."

　"내 이름이요? 나는 '역사' 라고 합니다."

여호와여 나를 살피시고 시험하사
내 뜻과 내 마음을 단련하소서
주의 인자하심이 내 목전에 있나이다
내가 주의 진리 중에 행하여
허망한 사람과 같이 앉지 아니하였사오니
간사한 자와 동행치도 아니하리이다
내가 행악자의 집회를 미워하오니
악한 자와 같이 앉지 아니하리이다
여호와여 내가 주의 계신 집과
주의 영광이 거하는 곳을 사랑하오니
나를 구속하시고 긍휼히 여기소서
ㅡ시편 26:2-5, 8, 11

6
압살롬 VS 다윗

다윗은 그의 궁전에 있는 정원으로 꾸며진 테라스의 발코니를 바라보고 있었습니다. 그의 밑에는 거룩한 성 안의 집들로부터 나오는 불빛들이 반짝거리고 있었습니다. 뒤에서 한 사람이 다가왔습니다. 다윗은 돌아보지 않은 채 한숨을 지으며 말했습니다.

"요압, 무슨 일이지?"

"알고 계십니까?"

"알고 있네."

그는 조용히 대답했습니다.

"언제부터 알고 계셨습니까?"

요압이 놀랍다는 듯이 물었습니다.

"수개월, 수 년, 아마 10년, 아니 30년 전에 알았을 거야."

요압은 그들이 지금 같은 문제를 얘기하고 있는지 분간이 가지 않았습니다. 압살롬은 이제 겨우 서른 살이 넘었기 때문입니다.

"왕이여, 저는 지금 압살롬에 대해 말하고 있습니다."

그는 머뭇거리며 말하였습니다.

"나도 그렇다네."

"그렇게 오랫동안 알고 계셨다면 왜 그를 막지 않으셨습니까?"

"나도 나 자신에게 같은 질문을 하고 있었지."

"제가 대신 그를 제거할까요?"

다윗은 확 돌아섰습니다! 요압의 미심쩍은 질문이 진퇴양난에 처해 있던 그의 문제를 한순간에 풀어 주었던 것입니다.

"그렇게 해서는 안돼! 그에게 말 한마디도 해서는 안 되지. 그를 비판하지도 말게. 누구든 그와 그가 하고 있는 일들에 대해 비판적으로 얘기하도록 내버려 두어도 안돼. 분명히 말하지만 자네는 그를 제거해서는 안 되네."

"하지만 그렇게 되면 그가 왕국을 빼앗지 않겠

습니까?"

다윗은 다시 한번 조용히 그리고 천천히 한숨을 내쉬었습니다. 눈물을 흘려야 할지 미소를 지어야 할지 잠시 망설였습니다. 그러나 가볍게 미소를 지으며 말했습니다.

"그렇지, 아마 그는 그렇게 할 거야."

"어떻게 하실 건가요? 계획이 있으십니까?"

"아니. 전혀 없네. 솔직히 말해 어떻게 해야 할지 전혀 알 수가 없어. 나는 수없이 전투를 해왔고 여러 번 포위도 당했지. 대부분은 어떻게 해야 할지 알았었네. 하지만 이번 경우에 내가 생각할 수 있는 것이라고는 젊었을 때 겪은 그 경험뿐이지. 그때 내가 따랐던 길이 지금 내가 할 수 있는 가장 좋은 길로 보이네."

"그 길이란 무엇이었나요?"

"철저히 아무것도 하지 않는 것이지."

다윗은 다시 혼자가 되었습니다. 옥상 정원을 천천히 그리고 한 끝에서 다른 한 끝까지 조용히

거닐었습니다. 마침내 멈추어 선 그는 스스로에게 크게 외쳤습니다.

"기다렸다, 압살롬. 수년 동안 기다리고 기다렸다. 묻고 또 물었지. '이 젊은 아이의 마음속에 있는 것이 무엇일까?' 라고. 그런데 이제야 알 수 있을 것 같다. 너는 생각할 수도 없는 일을 할 것이다. 너는 분열시키는 거야, 압살롬. 바로 하나님의 왕국을…. 다른 모든 것들은 그저 말에 불과할 것이다."

다윗은 다시 조용해졌습니다. 그리고 두려움에 찬 듯 목소리를 낮추며 말하였습니다.

"압살롬은 하나님의 왕국을 분열시키는 것을 주저하지 않는구나."

"이제는 알 수 있지. 그 아이는 추종자를 찾고 있다는 것을. 적어도 사람들은 외면하지는 않아. 그 아이는 너무나 순결해 보이고 빛나도록 고귀해 보이거든. 그렇지만 그는 여전히 분열시키고 있는 거야. 자기에게는 추종자가 절대 없다고 자신 있게 말하지만, 그를 따르는 추종자들은 증가하고 있지."

오랫동안 다윗은 아무 말도 하지 않았습니다. 마침내 장난기 섞인 목소리로 스스로에게 말하기 시작하였습니다.

"자, 선한 왕 다윗! 첫 번째 문제는 해결됐어. 너는 분열의 와중에 있으며 왕위에서 분명히 밀려나게 될 것 같구나. 자, 그러면 두 번째 문제."

그는 말하기를 멈추고 손을 들어 올려 거의 직감적으로 물었습니다.

"너는 무엇을 할 것이냐? 왕국은 저울추에 달려 있고. 내게는 두 가지 선택이 있는 것 같구나. 모든 것을 다 잃느냐, 아니면 사울이 되느냐? 나는 압살롬을 제어할 수 있다. 단지 사울이 되기만 하면 되지. 과연 내가 이 노년에 사울이 되어야 하는가? 하나님께서도 내 결정을 기다리고 계신다. 내가 진정 사울이 되어야 하는가?"

"선한 왕이여, 압살롬은 당신에게 다윗처럼 대하지 않았습니다."

뒤에서 한 음성이 대답하였습니다. 다윗은 돌아섰습니다. 기척도 없이 다가온 아비새였습니다.

"이 테라스는 참 바쁜 곳이군."

다윗이 빈정대었습니다.

"왕이여, 무슨 말씀을?"

"아니야, 오늘 나를 찾는 사람들이 없지 않았다고 말하면 충분하지. 혼자 있기로 작정한 날에 말이야. 나에게 무슨 말을 했나? 아니, 내가 뭐라고 했지?"

"왕께서 '내가 압살롬에게 사울이 되어야겠는가?'라고 말씀하셨고, 저는 '그는 당신에게 다윗처럼 대하지 않았다'라고 말씀드렸습니다."

"나는 사울에게 절대 도전하지 않았지. 나는 그가 다스리는 동안 결코 왕국을 분열시키려 하지 않았어. 자네가 말한 것이 그것이었나?"

"더 있지요."

아비새*가 강력하게 말하였습니다.

"사울은 당신께 악하게 대하였고 당신의 삶을 고통으로 몰아갔습니다. 그럼에도 당신은 그를 존중히 여기며 혼자 고통을 견뎌내셨습니다. 그때에

---

*아비새: 요압의 형제이자 다윗 수하의 뛰어난 장군. 다윗의 피난 시절부터 통치 말기에 이르기까지 다윗과 동고동락한 헌신적인 인물.

일어났던 나쁜 일들은 한 쪽에서만 왔었습니다. 모든 것이 당신에게만 쏟아졌지요. 사실 왕께서는 왕국을 분열시킬 수도, 사울을 넘어뜨릴 수도 있었을 것입니다. 그러나 당신은 그렇게 하기보다는 짐을 싸서 왕국을 떠나셨지요. 분열을 초래하기보다는 도피했던 것입니다. 연합을 위해 당신의 생명을 걸었으며, 사울의 모든 부정에 대해서는 입과 귀를 막으셨습니다. 이 나라에서나 지금까지 있었던 어떤 나라도, 또 앞으로 있을 나라들을 통틀어 그 어떤 사람보다 반역을 일으킬 만한 충분한 이유들을 가지셨음에도 말입니다."

"압살롬은 불의의 목록을 꾸미기 위해 열심히 머리를 짜내야 했을 것입니다. 몇몇 가지 일들은 타당한 것도 있었지만요. 하지만 압살롬이 왕께서 하신 것같이 처신했는지요? 추종자들을 거절하고 있는지요? 왕국의 분열을 막기 위해 이 나라를 떠났는지요? 압살롬은 정중한가요? 그는 조용한 슬픔 가운데 고통을 참아내고 있나요? 나쁜 일들이 압살롬을 덮치고 있습니까? 아니지요."

아비새는 이를 악문 채 마지막 말들을 하였습니

다. 그리고 이번에는 조금 더 신중하게 말을 이었습니다.

"그의 불만거리들은 당신이 사울에게 가졌던 의로운 슬픔에 비한다면 사소한 것들입니다. 당신은 결코 사울을 잘못 대한 일이 없습니다. 더군다나 왕께서 압살롬에게 부당하게 대한 적은 절대 없으십니다."

다윗은 싱긋이 웃으며 말을 가로막았습니다.

"나는 늙은이나 젊은이나 이유없이 나를 미워하게 만드는 재주가 있는 것 같군. 젊었을 때는 늙은이가 나를 치더니 이제 늙으니까 젊은이가 나를 친단 말이야. 대단한 업적이야!"

"제가 말씀드리려는 것은,"

아비새는 계속했습니다.

"압살롬은 다윗이 아니라는 것이지요. 그래서 왕께 여쭙는 것입니다. 왜 그의 반역을 막지 않으십니까? 그를 제지하십시오. 그 파렴치한…."

"조심하게, 아비새. 그 아이도 왕의 아들인 것을 기억하게나. 우리는 절대 왕의 아들에 대해 나쁘게 말해서는 안 되지."

"선한 왕이여, 당신은 사울을 향해 단 한번도 칼이나 창을 드신 적이 없음을 상기시켜 드립니다. 다시 말씀드립니다. 압살롬은 왕을 반역하는 말을 밤낮으로 하고 있습니다. 그는 빠른 시일 내에 당신을 대적하여 반역을 시도할 것입니다. 당신의 나라, 바로 이 나라를 자신이 취하여 대적할 것입니다. 압살롬은 이제 더 이상 어린 소년이 아닙니다. 당신은 그를 지금 막아야만 합니다."

"아비새, 너는 내게 사울과 같이 되라고 이야기하고 있군."

"아니오. 나는 다만 그가 다윗 왕 당신과 같지 않다는 것을 말씀드리고 있는 것입니다. 그의 반역을 막아내시기 바랍니다."

다윗은 아비새를 응시하면서 물었습니다.

"그렇다면, 만약 내가 그를 중단시킨다면, 난 여전히 나 다윗과 같은 모습으로 남을 수 있을까? 내가 그를 막는다면 나는 사울과 같은 자가 되는 것은 아닐까? 아비새! 그를 막기 위해서 나는 사울이 되든가, 아니면 압살롬이 되어야만 해."

"나의 친구된 왕이시여, 내가 당신을 아끼며 말

씀드리는 것은 난 때때로 당신이 좀 정상에서 벗어난 것 같다는 생각이 듭니다."

"그래. 나도 자네가 나를 그렇게 보는 이유를 알수 있을 것 같네."

"사울 왕은 악한 왕이었고 어떤 면에서 압살롬은 젊을 때의 사울 왕과도 같습니다. 다윗 당신만이 언제나 동일한 마음과 깨어진 마음을 가진 목자의 모습을 갖고 있습니다. 저에게 말씀해 주십시오. 당신은 대체 무엇을 계획하고 있습니까?"

"아직까지는 확신할 수 있는 게 없다네. 다만 확실히 말할 수 있는 것은 내가 젊었을 때 나는 압살롬이 아니었고, 지금 노년에 와서 나는 사울과 같이 될 수 없다는 것이라네. 그저 늙은 이때에도 나 다윗의 모습 그대로이고 싶을 뿐이라네. 비록 그에 대한 대가가 내 왕좌와 이 나라, 나아가 내 목숨을 지불하는 것이라 할지라도."

아비새는 한동안 아무 말도 하지 못했습니다. 그는 다윗이 결정한 것을 서서히 깨닫게 되었지만, 다시 한번 확인하고자 입을 열었습니다.

"왕이시여, 당신은 압살롬과 같지 않았고 앞으

로 사울과 같지도 않을 것입니다. 그러나 당신이 압살롬을 중단시키지 않을 경우 당신은 왕권을 내어 놓아야 할 것입니다. 압살롬은 반드시 그 자리를 차지할 것이기 때문입니다."

"사울 왕이 목동을 죽이려고 시도했던 때와 같이 확실하게…."

지혜 많은 이 늙은 왕은 대답했습니다.

"무슨 말씀이신지요?"

놀란 목소리로 아비새가 물었습니다.

"생각해보게. 하나님은 권세 있는 미친 왕으로부터 아무 힘도 없는 한 목동을 구해내셨지. 그분은 역시 야망에 찬 젊은 반역자로부터 늙은 왕을 구하실 수 있는 분이라네."

"다윗, 당신이 처한 역경을 과소 평가하지 마십시오."

아비새가 대답했습니다.

"아비새! 그대야말로 내 하나님을 과소 평가하고 있군."

다윗 왕이 진지하게 응답했습니다.

"그러면 왕이시여, 당신이 싸우지 않는 이유는

무엇입니까?"

"말하겠네. 우리가 처했던 동굴에서의 옛 시절을 기억해보게. 내가 요압에게 대답한 그 대답을 떠올려보게. 나는 바로 그 패배가, 또 이 일이 죽음에 이르게 할지라도 사울 왕의 길이나 압살롬이 택한 길을 걷기보다는 나의 길을 택하겠네. 왕국은 내가 그렇게 집착할 만큼 귀한 것이 아니라네. 만일 지금의 상황이 하나님의 뜻이라면 압살롬에게 이 왕국을 갖게 하게. 다시 말하겠거니와 난 결코 사울 왕이나 압살롬의 길을 걷지 않겠네."

"아비새, 노년이 된 지금 내가 젊었을 때의 알지 못했던 일을 말할 수 있는 것은 아무도 사람은 자신의 마음을 감찰하지 못하기 때문이네. 나도 내 마음을 알지 못하네. 분명히 알지 못해. 하나님만이 아시지. 내가 하나님의 이름으로 내 작은 영토를 방어해야겠는가? 창을 던지고 계략을 세워 분열시키고…. 그리고 내가 그 영혼들을 죽여야겠는가? 나의 제국을 보호하기 위해? 나는 왕이 되겠다고 손가락 하나도 올리지 않았지. 왕국을 보존하기 위해서도 마찬가지야. 더욱이 하나님의 왕국을 말이야! 하나님이 날 이곳에 두셨지. 권력을 취한다든가 지키는 것은 내 책임이 아니야. 자네는 이런 일들이 일어나는 것이 그분의 뜻일지 모른다는 생각이 들지 않는가? 나는 그렇게 생각하지. 만일 그렇게 하시기로 작정하셨다면, 하나님께서는 지금이라도 왕국을 보호하고 지킬 수 있다고 믿네. 그분의 왕국이니까."

잠시 무언가를 곰곰이 생각하는 듯 멈추었다가 조용히 다시 말을 이었습니다.

"내가 말했듯이 아무도 자기의 마음을 몰라. 나도 내 마음을 모르지. 내 마음속에 정말 무엇이 있는지 어떻게 알겠나? 아마 하나님의 눈에는 내가 더 이상 다스릴 수 있는 자가 아닐 수도 있지. 하나님은 나와 끝장을 내셨는지도 몰라. 압살롬이 다스리는 것이 하나님의 뜻일 수도 있단 말일세. 솔직히 나는 모르네. 하지만 이것이 그분의 뜻이라면 그렇게 되기를 바랄 뿐이네. 하나님은 나와 끝장을 내셨을 수도 있네! 사울이라고 여겨지는 사람을 향해 손을 드는 어떤 젊은이도, 압살롬이라 여겨지는 자를 향해 손을 드는 어떤 늙은 왕도,

사실은 그의 손을 하나님의 뜻에 대항하여 들고
있는지도 모르는 거야. 그 어떤 경우라도 나는 손
을 올리지 않겠네! 하나님께서 내가 망하는 것을
원하시는 그때에 내가 계속 붙잡고 있다면 좀 이
상해 보이지 않겠나?"

"하지만 당신은 압살롬이 왕이 되어서는 안 된
다는 사실을 알고 있지 않습니까?"

아비새는 좌절감을 느끼며 대답하였습니다.

"내가? 아무도 모르지. 단지 하나님만 아실
뿐…. 그러나 그분은 말씀하지 않았네. 나는 왕이
되려고도, 또 왕으로 남아 있기 위해 싸우지 않겠
네. 내가 바라기는 하나님께서 오늘 밤에 오셔서
나의 왕위를, 왕권을 취하시기를, 그리고…."

다윗의 목소리가 떨렸습니다.

"그분의 기름 부으심도 나로부터 취하시기를….
나는 그분의 능력이 아니라 그분의 뜻을 구하네.
다시 말하지. 나는 지도자의 위치를 갈망하는 것
보다 그분의 뜻을 더욱 갈망하네. 그는 나와 끝장
을 내셨는지도 모르는 거야."

그는 가쁜 숨을 크게 내쉬었습니다.

"다윗 왕이여!"

두 사람의 뒤쪽에서 한 음성이 들려왔습니다.

"누구지?"

"통신관입니다."

"오, 그래. 무엇인가?"

"압살롬입니다. 그가 왕을 잠시 만나뵙기를 원합니다. 헤브론에 가서 희생 제물을 바칠 수 있도록 허락 받기를 원한다고 합니다."

"다윗이여, 당신은 그것이 진정 무슨 뜻인지 아시지요? 그렇지요?"

아비새가 쉰 목소리로 말했습니다.

"그리고 보내신다면 그가 무엇을 할지도 당신은 아시지요?"

"그렇지."

다윗은 통신관에게 돌아서며 말했습니다.

"잠시 후 그곳에 가겠다고 압살롬에게 이르게."

다윗은 마지막으로 한번 더 조용한 도시를 내려다 보고는 문쪽을 향해 걸어갔습니다.

"그를 헤브론에 보내시겠습니까?"

아비새가 추궁하듯 물었습니다.

"보내겠네."

왕중의 왕이 대답하였습니다.

"그래, 나는 보내겠네."

그리고는 통신관을 향해 말하였습니다.

"시간이 많이 늦었네. 압살롬과 얘기를 마치고 나면 나는 자야겠어. 내일 의논할 일이 있으니 선지자 한 명을 내게 보내주게. 아니면 사관을. 대제사장 사독*이 좋겠군. 그를 보내주게. 저녁 제사가 끝난 뒤 여기서 나를 만날 수 있는지 물어보게."

이번에는 부드러운 목소리로 아비새가 다시 말했습니다.

"선한 왕이여, 감사를 드립니다."

아비새의 얼굴에 존경의 빛이 완연하였습니다.

"무엇을 말인가?"

문을 돌아 나가던 왕이 어리둥절하여 그에게 물었습니다.

"당신이 행한 것이 아니라 행하지 않으신 것들

---

*사독: 다윗과 솔로몬 시대의 제사장. 다윗이 고초를 겪을 때마다 그의 곁에서 고심하며 신의를 지킨 인물.

을. 창을 던지지 않은 것을 감사하며, 왕에게 반역하지 않은 것과 그렇게 허점이 많은 지도자를 노출시키지 않은 것을. 그리고 왕국을 분열시키지 않은 것과, 젊은 다윗과 아주 비슷해 보이지만 다윗이 아닌 압살롬을 공격하지 않은 데 대해 감사드립니다."

그는 멈추었습니다.

"그리고 고통을 당하시는 것과 기꺼이 모든 것을 잃어버리려 하시는 것을 감사드립니다. 하나님께서 일하시도록, 그리고 심지어 그분을 기쁘게 해드리는 것이라면 당신의 나라까지도 내어드리는 것을 감사드립니다. 우리 모두에게 본보기가 되어 주심을 감사드립니다. 그리고 무엇보다도,"

그는 웃었습니다.

"마술사들과 의논하지 않으신 것을 감사드립니다."

"나단*!"

"음? 아, 사독, 당신이었군요."

"방해한 것을 양해해 주시오. 당신을 얼마동안 주시하고 있었지요. 왕을 만나러 왕실에 들어가려던 참인 것 같던데요."

"그렇습니다, 사독. 그렇게 하려고 했는데 다시 생각해보니 왕은 이제 더 이상 제가 필요하지 않습니다."

"실망했는데요, 나단. 나는 왕이 당신을 굉장히 필요로 하고 계신다고 생각합니다. 그는 지금 그의 생애를 통해 가장 어려운 시험을 겪고 있습니다. 이같이 힘든 시험을 그가 이겨낼 수 있을지 잘 모르겠군요."

사독은 실망감을 애써 감추려 하지 않았습니다.

"사독, 그는 이미 그 시험을 이겼습니다."

하나님의 선지자라는 것을 증명하는 듯이 확신

---

* 나단: 다윗 시대의 선지자로서 궁정 예언자이자 고문.

에 찬 목소리로 나단은 대답했습니다.

"이미 시험을 이겼다고요? 나단, 나는 당신이 무슨 이야기를 하는지 알 수 없군요. 당신도 잘 알다시피 이 중대한 사태는 지금 막 시작했을 뿐이지 않습니까?"

의아해진 사독이 물었습니다.

"사독, 당신의 왕은 이 시험을 그가 젊을 때 이미 이겨냈습니다."

"사울에 대하여 말씀하십니까? 하지만 사랑하는 친구여, 이것은 아주 다른 문제가 아닙니까?"

"전혀 그렇지 않지요. 똑같은 것입니다. 차이가 전혀 없지요."

나단이 힘 주어 말했습니다.

"오래 전 그때에, 다윗이 하나님과 먼저 관계하고 나서 자기 위에 있던 사람과 관계했던 것처럼, 지금도 역시 다윗은 하나님과 관계하고 나서 자기 밑에 있는 사람과 관계하고 있는 것이지요. 차이가 있을 수 없습니다. 물론 상황이야 다를 수 있지요. 아주 조금, 아주 조금이라고 덧붙여야겠습니다. 그러나 그 심장…. 아, 그 마음만큼은 항상 같습니다. 사독, 나는 사울이 우리의 첫 왕이었다는 것을 항상 감사히 여겼습니다. 그가 젊은이로서 다른 왕 밑에 있으면서 그가 일으켰을 문제들을 생각해보면 몸서리가 쳐집니다. 사실 자기 삶 안에 사울이 있다는 것을 안 사람이나 압살롬이 있다는 것을 안 사람은 전혀 다를 바가 없지요. 어떤 경우에서든지 부패한 마음은 그 부패함을 '정당화시킬 것'을 찾아냅니다. 이 세상의 사울들은 결코 다윗을 볼 수 없지요. 그들은 단지 사울만을 볼 수 있습니다."

"그러면, 그 순결한 마음은?"

사독이 물었습니다.

"아, 이제 아주 흔치 않은 일이 일어날 것입니다. 깨어진 마음과 깨어진 의지가 어떻게 압살롬을 다룰 것인가? 사울을 다룬 그 방법…. 사독, 우리는 곧 그것을 알게 될 것입니다. 당신과 나는 다윗이 사울과 함께 있었을 때에 그곳에 있는 특권은 없었나봅니다. 그러나 압살롬과 함께 있는 이 시간에 있는 특권이 있지요. 우선 나는 벌어지고 있는 이 드라마를 아주 자세히 살펴 볼 것입니다.

그렇게 하는 가운데 한두 가지의 교훈을 배우게
될 것이라는 큰 기대가 있지요. 내 말을 명심하세
요. 다윗은 이 일을 겪어나가며 그가 젊었을 때 보
여 주었던 것과 똑같은 기품으로 이 시험을 통과
할 것입니다."

"그러면 압살롬은?"

"압살롬? 불과 몇 시간 내에 나의 왕이 될 수도
있지요. 그것이 당신이 말하고자 하는 것이 아닌
가요?"

"그럴 가능성이 있지요."

사독이 대꾸했습니다.

"만일 압살롬이 왕위를 얻는다면 하늘이여, 땅
위의 모든 사울들과 다윗들, 그리고 압살롬들에게
자비를 베푸소서! 내 생각에 압살롬은 굉장한 사
울이 될 것입니다."

나단은 긴 복도를 돌아 걸어 내려가며 말을 이
었습니다.

"그렇지요. 굉장한 사울, 나이와 지위를 제외하고 압살롬은 모든 면에서 이미 사울인 것입니다."

저희가 미구에 그 행사를 잊어버리며
그 가르침을 기다리지 아니하고
광야에서 욕심을 크게 발하며
사막에서 하나님을 시험하였도다
여호와께서 저희의 요구한 것을 주셨을지라도
그 영혼을 파리하게 하셨도다
저희가 진에서 모세와
여호와의 성도 아론을 질투하매
땅이 갈라져 다단을 삼키며
아비람의 당을 덮었으며
불이 그 당 중에 붙음이여
화염이 악인을 살랐도다
그러므로 여호와께서 저희를 멸하리라 하셨으나
그 택하신 모세가 그 결렬된 중에서
그 앞에 서서 그 노를 돌이켜
멸하시지 않게 하였도다
-시편 106:13-18, 23

7
광야의 깨어진 마음

"사독, 와 주셔서 감사합니다."

"나의 왕, 다윗이여."

"당신은 하나님의 제사장이지요. 오래 전 이야기를 하나 해 줄 수 있습니까?"

"무슨 이야기인지요, 왕이여?"

"당신은 모세*의 이야기를 아시지요?"

"압니다."

"그걸 내게 이야기해 주시지요."

"긴 이야기인데요. 다 해드릴까요?"

"아니요. 다는 아니고."

"그러면 어떤 부분을?"

---

*모세: 애굽 땅에서 이스라엘 백성을 탈출시킨 위대한 지도자. 최초의 선지자이며 율법 수여자. 온유한 성품을 가졌으며 사리사욕이 없었음.

"고라의 반역에 대해 이야기해 주시지요."

사독은 불타는 눈으로 다윗을 응시했습니다. 다윗 역시 타오르는 눈으로 그를 바라보았습니다. 그 두 사람은 알고 있었습니다.

"그러면 제가 고라*의 반역과 그런 반역 가운데 모세가 취한 행동에 대해 이야기해 드리겠습니다. 많은 이들이 모세의 이야기를 들었습니다. 그는 하나님의 기름 부으신 자의 뛰어난 표본이었지요. 하나님이 주시는 진정한 나라는 인간 위에, 아니 인간의 상한 심령 위에 임하시는 것이지요. 하나님의 나라에는 형식도 계급도 없습니다. 오직 상한 심령을 가진 사람이 있을 뿐입니다."

"모세는 바로 그런 사람이었지요. 고라는 모세의 사촌이었지만, 그런 사람은 아니었습니다. 고라는 모세가 가진 권위를 갖기 원했습니다. 어느 평화로운 아침, 고라는 일어났지요. 그날 아침에는 하나님의 백성 가운데 아무런 불화가 없었습니

---

* 고라: 모세의 사촌 형. 광야 시절 모세와 아론의 지도 체제에 대항해 다단과 족장 250명 등과 함께 반역을 일으킴. 결국 하나님의 심판을 받아 땅에 삼키운 바 됨.

다. 그러나 그날이 지기 전 고라는 모세에 대한 자신의 비난에 동조하는 252명의 사람을 찾아내었습니다."

"그러면 모세가 다스리던 당시 나라 안에 문제가 있었는지요?"

다윗이 물었습니다.

"어느 왕국이든 문제는 있게 마련이지요."

사독은 계속 말했습니다.

"언제든지요. 더군다나 그런 문제들을 볼 수 있는 능력은 아주 보잘것없는 은사에 불과하지요."

다윗은 미소를 지으며 물었습니다.

"하지만 사독, 당신도 알다시피 옳지 못한 나라들과 옳지 못한 지도자들이 있지 않았습니까? 그리고 공정한 척하며 거짓말로 다스리고 치리하던 사람들이 있지 않았느냐는 말이에요. 그러니까 어떤 나라가 비록 그 안에 잘못들이 있다 하더라도 하나님의 사람에 의해 다스려지는 나라이고, 또 어떤 나라가 순종할 가치가 없는 나라인지를 단순한 백성들이 어떻게 알 수 있단 말입니까? 사람들이 어떻게 알 수 있느냐는 말이에요?"

다윗은 멈추었습니다. 그는 자기가 무엇보다도 가장 알고 싶어했던 점에 도달한 것을 깨달았습니다. 그는 진지하게 다시 말하였습니다.

"그리고 그 왕은, 자신이 올바른지를 스스로 알 수 있는지요? 어떤 징조라도 있는 건가요?"

다윗은 간절하게 이 마지막 말을 하였습니다.

"다윗이여, 당신은 하늘로부터 내려오는 어떤 명세서를 기대하고 계십니다. 설사 그런 명세서가 있다 하더라도, 설사 그것을 알 수 있는 방법이 있다 하더라도, 사악한 인간들은 그들의 나라를 그 명세서에 맞도록 꾸며 놓을 것입니다. 또 그런 명세서가 있어서 한 선한 사람이 그것을 완전히 이루었다 할지라도, 그가 하나도 이루지 못했다고 주장하는 사람들이 있을 것입니다. 당신은 인간의 마음을 과소 평가하고 계십니다."

"그렇다면 사람들이 어떻게 안단 말이지요?"

"알 수 없습니다."

"그러면 수백 명의 소리가 수천 가지 주장을 하는 가운데서, 하나님의 단순한 백성들은 누가 진정한 하나님의 기름 부으신 자인지를 어떻게 알 수 있단 말입니까?"

"결코 확실하게 알 수는 없을 것입니다."

"그러면, 도대체, 누가 알 수 있는 건가요?"

"하나님은 아시지요. 하지만 그분은 말씀하시지 않습니다."

"그렇다면 보잘것없는 인간들을 따라야 하는 사람들에게는 아무런 소망도 없다는 건가요?"

"그들의 손자들은 그 일을 명백히 보게 될 것입니다. 그들은 알게 되지요. 그러나 그 드라마 속에 있는 사람들, 그들은 결코 확실히는 알 수 없습니다. 그럼에도 불구하고 한 가지 확실한 사실은…."

"그게 무언가요?"

"해가 떠오르는 것만큼이나 분명한 것은, 사람들의 마음이 시험을 받게 된다는 것이지요. 여러 주장과 또 그 주장을 반대하는 주장들 간에, 관여된 모든 사람의 마음 안에 숨겨진 동기들이 드러나게 될 것입니다. 이런 것이 사람의 눈에는 별로 중요하지 않게 보일 수 있지만, 하나님의 눈에는 매우 중요한 것이지요. 마음이 드러나야 합니다. 하나님은 그것을 주의해 보실 것입니다."

"나는 그런 시험들을 경멸합니다."

다윗은 지친 듯이 대꾸했습니다.

"나는 오늘과 같이 이런 밤들을 증오합니다. 그분은 여전히 내 마음을 시험하시고자 내 삶에 많고 많은 일들을 있게 하시는 것 같군요. 이 밤에 또 한번, 나는 내 마음이 시험 받고 있음을 느낍니다. 사독, 지금 나를 무엇보다도 더 괴롭게 하는 것은 하나님이 나와 끝장을 내시려는 것인가 하는 거예요. 그것을 알 수 있는 방법이 없을까요?"

"선한 왕이여, 나는 역사상 그것을 물어보기라도 한 지도자를 보지 못했습니다. 대부분의 사람들이라면 지금쯤은 반대하는 자를, 또 반대자라고 여겨지는 사람들까지도 갈갈이 찢었을 것입니다. 그러나 당신의 질문에 대답하자면, 저는 하나님이 왕과 끝장을 내셨는지 그렇지 않은지를 알 수 없습니다."

다윗은 한숨을 쉬며 터져 나오려는 오열을 삼켰습니다.

"그러면 그 이야기를 계속해요. 고라에게 252명의 추종자가 있었다고요? 그 다음에 어떻게 되었나요?"

"고라는 자기를 따르는 무리와 함께 모세와 아론에게 접근했습니다. 그는 모세에게 말하기를 그가 가진 모든 권위를 행사할 아무런 권리도 없다고 하였습니다."

"흠, 우리 히브리인들은 변함이 없어요. 그렇지 않나요?"

다윗은 웃으며 말했습니다.

"아니지요, 인간의 마음이 변함이 없는 것이지요."

사독이 대답했습니다.

"고라에 대한 모세의 반응은 어떠했는지 얘기해 주세요."

"40세의 모세는 교만하고 제멋대로 하는 사람, 고라와 그다지 다를 바가 없는 사람이었지요. 40세 때였더라면 어떻게 했을지 나는 말할 수 없습니다. 하지만 80세의 그는 깨어진 사람이었지요. 그는 정말….."

"온유함이 땅 위의 모든 사람보다 승한 자!"

다윗이 사독의 말을 가로채며 외쳤습니다.

"하나님의 권위의 지팡이를 지니기에 적합한 자, 그렇지 않았다면 백성들은 공포 속에 살게 되었을 것입니다. 그렇습니다. 그 깨어진 마음이 고라를 대면했습니다. 그리고 모세가 어떻게 했는지는 왕께서도 이미 아시리라 믿습니다. 그는, 아무것도 하지 않았지요."

"아무것도. 아, 대단한 사람이군요."

"모세는 하나님 앞에 엎드렸습니다. 그것이 그가 한 전부였습니다."

"왜 그렇게 했을까요, 사독?"

"다윗이여, 만민의 왕이신 당신은 아십니다. 모세는 오직 하나님만이 그를 이스라엘 위에 세우신 분임을 알았지요. 더 이상 해야 할 일이 없었습니다. 그 253명이 왕국을 차지하든가, 아니면 하나님께서 모세의 정당함을 입증하시든가. 모세는 그것을 알았지요."

"인간들은 그런 삶을 흉내내기가 어려울 거예요. 그렇지요? 그런 순복은 꾸며낼 수 없겠지요. 그렇지 않나요? 그러나 말해 주세요. 하나님은 어떻게 모세의 정당함을 밝히셨지요?"

"모세는 그들에게 그 다음 날 향로와 향을 가지고 오라고 말했지요. 그러면 하나님이 그 문제를 결정하실 것이라고."

"그렇군요! 하나님이 가끔은 말씀하시는군요."

다윗은 흥분해서 말하였습니다.

"그 다음에 무슨 일이 벌어졌지요?"

"고라와 두 친구는 땅 속에 삼키어져 버렸죠. 그리고 다른 250명도 죽었는데…."

"상관없습니다. 모세가 하나님이 주신 권위를 갖고 있었음이 증명된 것으로 충분해요. 하나님께서 말씀하셨군요! 백성은 누가 진정 하나님으로부터 온 권위를 가진 자인지 알았고, 드디어 모세는 쉴 수 있었겠지요."

"아닙니다, 왕이여. 그는 쉴 수 없었고 백성들은 하나님의 응답으로도 만족하지 않았습니다! 바로 다음 날 온 백성들이 모세를 향해 불평하였는데, 아마 모세의 기도가 아니었더라면 모두 다 죽임을 당했을 것이지요."

"그렇게 인간들은 왕이 되기 위해 싸우는군요!"

다윗은 난감하여 고개를 흔들었습니다. 사독은

잠시 멈추었다가 다시 말을 이었습니다.

"다윗이여, 무엇이 참된 권위며 무엇이 아닌가 하는 질문으로 당신이 고통 당하고 있는 것을 압니다. 하나님의 손에 의한 것이 아니라 그저 반역에 불과한 것을 어떻게 다루어야 할지 알고 싶은 것이지요. 나는 당신께서 유일하고도 순결한 길을 찾으실 것을, 또한 그렇게 행하실 것을 믿습니다. 그렇게 함으로 당신은 우리 모두에게 가르쳐 주게 될 것입니다."

문이 열리고 아비새가 급히 들어왔습니다.

"선한 왕이여! 당신의 아들, 당신의 혈육 압살롬이 헤브론에서 자신을 왕으로 선포했습니다. 지금 보기에는 온 이스라엘 백성들이 그에게 넘어간 듯 보입니다. 그는 왕위를 빼앗으려 합니다. 예루살렘을 향해 행군해오고 있습니다. 당신과 가장 가까웠던 자들 몇몇도 그의 편이 되고 말았습니다."

다윗은 걸어갔습니다.

무언가 들리는 듯 했으나 알아들을 수는 없었습니다.

"이스라엘의 3대 왕이라…. 하나님 왕국의 진

정한 지도자들은 이렇게 나오는 것인가?"

사독은 다윗의 말이 잘 들리지 않아 크게 물었습니다.

"나의 왕이여, 무어라고 하셨는지요?"

"드디어,"

다윗은 조용히 말했습니다.

"드디어 이 문제가 풀리겠군요. 아마 내일쯤에는 하나님 외에도 알게 될 사람이 있겠지요."

"그럴 수도 있겠지요."

사독이 말했습니다.

"그러나 어쩌면 그렇지 않을 수도 있지요. 이런 문제들이라면 우리가 모두 죽은 후에 왈가왈부될 수 있으니까요."

"그게 바로 내일이 될지도 모르는 것이지요."

다윗은 웃으며 말했습니다.

"아비새, 가서 요압에게 알리게. 그는 동쪽 성벽 망루에 있을 걸세."

아비새는 들어올 때와 마찬가지로 분노에 차서 서둘러 나갔습니다.

"사독, 궁금한 것은,"

다윗은 깊이 생각하며 말했습니다.

"어떤 사람이 하나님께서 꼭 말씀하셔야 할 자리에 계시도록 만들 수는 있는 건지요."

여호와여

나의 대적이 어찌 그리 많은지요

일어나 나를 치는 자가 많소이다

많은 사람이 있어 나를 가리켜 말하기를

저는 하나님께 도움을 얻지 못한다 하나이다

여호와여 주는 나의 방패시요 나의 영광이시요

나의 머리를 드시는 자니이다

내가 나의 목소리로 여호와께 부르짖으니

그 성산에서 응답하시는도다

내가 누워 자고 깨었으니

여호와께서 나를 붙드심이로다

천만 인이 나를 둘러치려 하여도

나는 두려워 아니하리이다

여호와여 일어나소서

나의 하나님이여 나를 구원하소서

주께서 나의 모든 원수의 뺨을 치시며

악인의 이를 꺾으셨나이다

구원은 여호와께 있사오니

주의 복을 주의 백성에게 내리소서

-시편 3:1-8

8

반역, 그리고 또 다른 떠남

아비새는 궁전 뜰을 가로질러 동쪽 성벽 어간에 열려 있는 문으로 급히 들어가 나선형의 층계를 뛰어 올라갔습니다. 그 층계 꼭대기에서 요압이 아비새를 내려다 보고 횃불을 들고 달려 내려 오기 시작했습니다. 그들은 흔들리는 불빛 가운데 만나 서로의 얼굴을 자세히 살폈습니다.

"형님, 들었습니까?"

아비새가 말했습니다.

"들었지! 자정인데도 그 소식 때문에 도시의 반쯤은 여전히 깨어 있다네. 아비새, 어떻게 이럴 수가⋯. 아들이 친아버지를 대적하다니!"

"나라가 취약할 때에는 별별 기묘한 광경들을 보게 되는 것이지요."

먼 곳을 응시하며 아비새가 대꾸하였습니다.

"그리고 야망을 만족시키기 위해서는 어떤 것이라도 없애버리지."

요압이 분노하며 덧붙였습니다.

"아비새, 이 일들을 어떻게 생각하지?"

"어떻게 생각하냐고요?"

요압의 분노에 맞장구치며 아비새가 대꾸했습니다.

"내 생각은 이렇습니다! 압살롬은 이 나라 안에 아무 권한도 없습니다. 그는 아무 권력도, 자격도 없음에도 불구하고 왕국을 분열시키려고 일어섰습니다. 그는 하나님의 기름 부으신 자를 향해 손을 처들었습니다. 다윗을 향해! 다윗은 압살롬에 대해 어떤 일도, 어떤 말 한 마디도 한 적이 없습니다. 어떻게 생각하냐고요?"

아비새의 목소리가 점점 더 커져갔습니다.

"이거예요. 만일 아무 권한이 없는 압살롬이 이 일을 저지른다면, 압살롬이, 그 아무것도 아닌 자가 이 하나님의 왕국을 분열시킨다면…."

이제 그 음성은 천둥같이 울렸습니다.

"보세요. 압살롬이 지금도 이런 악한 일을 하는

데, 왕이 되면 어떤 일들을 하겠느냐는 말이죠."

다윗과 사독은 다시 둘만 있게 되었습니다.

"그러면 이제 어떻게 하시겠습니까? 다윗이여, 젊었을 때 당신은 그 형편없는 왕을 향해 아무 말도 하지 않으셨습니다. 이제 똑같이 형편없는 이 젊은이를 어떻게 하시렵니까?"

"내가 말했듯이,"

다윗은 대답하기 시작하였습니다.

"나는 이런 순간들을 가장 싫어합니다. 사독, 그러나 모든 이유를 제쳐 놓고 내 마음을 살피면서 그 마음의 사욕들을 제거하고 있습니다. 나는 사울 밑에서 했던 일을 할 것입니다. 나는 왕국의 운명을 오직 하나님의 손에 넘겨 드리겠습니다. 그분이 나와 끝장을 내시는 것일 수도 있지요. 아마 내가 죄를 너무 많이 저질러서 더 이상 다스릴 수 없는지도 모르겠습니다. 그것이 사실인지는 하나님만이 아시는데 그분은 말씀을 안해 주실 것 같군요."

그는 주먹을 쥐고는 농담하는 듯한 목소리로 단호하게 덧붙였습니다.

"하지만 나는 지금의 상황 가운데 말씀하지 않으시는 하나님께서 나타나시도록 충분히 자리를 내어 드리겠습니다. 나는 아무것도 하지 않는 것 외에는 이런 별난 사건을 해결할 다른 방법을 알수가 없습니다.

왕권은 내 것이 아닙니다. 내가 가질 것도, 보호할 것도, 지킬 것도 아니란 말이지요. 나는 성을 떠나겠습니다. 왕권은 이제 주님의 것입니다. 왕국도 마찬가지지요. 나는 하나님을 방해하지 않을 것입니다. 어떤 장애물도, 또 내가 하는 어떤 일도 그분의 뜻을 이루시는 데에 조금도 틈을 내지 않을 것입니다. 그분이 그의 뜻을 이루시는 것을 막을 만한 장애는 아무것도 없습니다. 만약 내가 왕이 될 사람이 아니라면, 하나님은 압살롬을 이스라엘의 왕으로 세우시는 데 아무 문제가 없으실 것입니다. 자 이제는 가능하지요? 하나님이여, 하나님 되시옵소서!"

그 진정한 왕은 돌아서서 왕실 밖으로, 궁전 밖으로, 그리고 성 밖으로 조용히 걸어나갔습니다. 그는 걷고 또 걸었습니다. 마음이 순결한 모든 사람의 가슴 속으로….

지은이 **진 에드워드**(Gene Edwards)목사는

텍사스 출신으로, 동부 텍사스 주립대학에서 역사와 문학을 전공했다. 그 후 스위스의 루쉬리콘과 휘트월스의 남서부침례신학교에서 신학을 공부하여 22세에 석사학위를 받았으며, 여러 집회에서 말씀을 전하는 전도자로 섬겼다. 현재는 아내와 함께 미국 플로리다의 잭슨빌에서 21세기의 교회 개척을 위한 사역자 훈련학교를 운영하고 있다.
www.geneedwards.com

옮긴이 **허령**

서강대학교 신문방송학과를 졸업하고 미국 남 캘리포니아 대학에서 커뮤니케이션(M. A.)을 공부했다. 현재 남편과 함께 캐나다 YWAM 장막장이 사역(Tentmaker's Ministry)의 책임자로 섬기고 있다.

지은이 **진 에드워드**(Gene Edwards)목사는

텍사스 출신으로, 동부 텍사스 주립대학에서 역사와 문학을 전공했다. 그 후 스위스의 루쉬리콘과 휘트월스의 남서부침례신학교에서 신학을 공부하여 22세에 석사학위를 받았으며, 여러 집회에서 말씀을 전하는 전도자로 섬겼다. 현재는 아내와 함께 미국 플로리다의 잭슨빌에서 21세기의 교회 개척을 위한 사역자 훈련학교를 운영하고 있다.
www.geneedwards.com

옮긴이 **허 령**은

서강대학교 신문방송학과를 졸업하고 미국 남 캘리포니아(Southern California) 대학에서 커뮤니케이션(M.A.)을 공부했다. 현재 남편과 함께 캐나다 YWAM 장막장이 사역(Tentmakers' Ministry)의 책임자로 섬기고 있다.

세 왕 이야기

지은이   진 에드워드
옮긴이   허령
일러스트   이승애

1994년 6월 30일 1판 1쇄 펴냄
2001년 12월 24일 개정판 1쇄 펴냄
2017년 9월 7일 개정판 91쇄 펴냄

펴낸곳   도서출판 예수전도단
출판 등록 1989년 2월 24일(제2-761호)
주소   서울특별시 마포구 성지 1길(합정동)
전화   02-6933-9981 · **팩스** 02-6933-9989
전자우편   publ@ywam.co.kr
홈페이지   www.ywampubl.com

ISBN 978-89-5536-283-1
책값은 뒤표지에 있습니다.